Chinese Phrase Book

Conversation en chinois

汉语会话100句

主　编　张建民

副主编　朱勘宇

华语教学出版社
SINOLINGUA

First Edition 2011

ISBN 978-7-5138-0010-5
Copyright 2011 by Sinolingua
Published by Sinolingua
24 Baiwanzhuang Road, Beijing 100037, China
Tel: (86)10-68320585
Fax: (86)10-68326333
http://www.sinolingua.com.cn
E-mail: hyjx@sinolingua.com.cn
Printed by Beijing Mixing Printing Co. Ltd.

Printed in the People's Republic of China

Preface

Based on the experiences of two foreigners traveling in Shanghai and composed as a set of conversations, this book contains the most useful and easy-to-learn Chinese expressions for traveling in China. It also offers introduction to both Chinese culture and the city of Shanghai. The book has been designed for casual learners who are going to China for sightseeing or business.

With conversational topics that cover a range of day-to-day activities, such as dining, traveling, entertaining, shopping and seeing doctors, the book has a comprehensive content that consists of 50 units, with each unit containing two conversations. From each unit, the writers have also selected two essential sentences to create a list of the 100 most useful sentences in day-to-day Chinese; this feature will undoubtedly be of great benefit to casual learners.

English and French translations, and an audio disc in MP3 format make it simple for users to understand and quickly master Chinese expressions. The book features engaging illustrations and is also conveniently sized to make it easily portable. It is an ideal choice for foreigners who want to learn some Chinese during their stay in China.

We would like to take this opportunity to thank the Hanban/ Confucius Institute Headquarters and Sinolingua for their help and support.

The Global Center for Teaching Chinese to Speakers of Other Languages
East China Normal University
Shanghai China

Préface

Basé sur le voyage de deux étrangers à Shanghaï en tant que fil conducteur, le livre «Conversation en chinois» est rédigé sous forme de dialogues et révèle les expressions et les phrases chinoises les plus usitées lors d'un voyage en Chine. Il donne également un aperçu de la culture chinoise et de la ville de Shanghaï. Ce livre a été spécialement conçu pour les touristes et les hommes d'affaires en déplacement à Shanghaï, qui apprennent le chinois à court terme.

Cet ouvrage, composé de cinquante unités (chacune comprenant deux dialogues), présente des scènes de dialogue et un contenu variés. Il aborde presque tous les domaines, notamment la nourriture, le logement, les déplacements, les loisirs, la consommation, la médecine, etc. Pour favoriser l'apprentissage des étudiants de court séjour, nos rédacteurs ont sélectionné les deux phrases les plus usitées et les plus représentatives de chaque unité, soit cent phrases-clés au total.

Les versions anglaise et française ainsi que la version MP3 en disque inclues dans le livre permettront aux lecteurs de mieux situer le contexte et de progresser plus rapidement à l'oral. Les illustrations vivantes de ce livre et son aspect compact feront de lui un choix idéal pour les touristes étrangers qui désirent apprendre le chinois.

Pour conclure, nous souhaiterions remercier Hanban (Bureau du Conseil international pour la promotion de la langue chinoise) et Sinolingua, qui ont contribué à la rédaction et à la publication de ce livre.

Centre International pour l'Enseignement du Chinois langue étrangère(TCSOL)
Université Normale de la Chine de l'Est (ECNU)

Contents
Table des matières

036 Today is Wednesday.
Nous sommes mercredi aujourd'hui.

040 Today is April 30th.
Nous sommes aujourd'hui le 30 avril.

044 It is eleven fifteen now.
Il est onze heures quinze.

048 I have reserved a room.
J'ai réservé une chambre.

052 I want to exchange some money.
Je voudrais échanger de l'argent.

056 Where can I access the Internet?
Où puis-je accéder à Internet ?

060 May I help you?
Puis-je vous aider ?

064 The phone number of the Chinese restaurant is 6320****.
Le numéro de téléphone du restaurant chinois est 6320****.

069 Hello, may I speak to Zhang Hai, please?
Allô, puis-je parler à Zhang Hai, s'il vous plaît ?

072 I stay at Huasheng Hotel, Room 1016.
Je séjourne à l'Hôtel Huasheng, chambre 1016.

076 Are you free at the weekend?
Vous êtes libre ce week-end ?

081 Let's meet at 1:00 pm at the gate of People's Park.
On se voit à l'entrée du Parc du Peuple à 1h de l'après-midi.

085 Excuse me, where is the restroom?
Excusez-moi, où se trouvent les toilettes ?

汉语拼音发音对照表

Key to Pronunciations

Beginning Consonants

b	*b* as in *bee*
c	*ts* as in *tsar,* strongly aspirated
d	*d* as in *do*
f	*f* as in *fax*
g	*g* as in *get*
h	*h* as in *home*
j	*j* as in *jack*
k	*k* as in *king*
l	*l* as in *lot*
m	*m* as in *mum*
n	*n* as in *name*
p	*p* as in *parents*
q	*ch* as in *check*
r	like *z* in *azure*
s	*s* as in *sister*
t	*t* as in *tea*
w	*w* as in *way*
x	*sh* as in *sheep*
y	*y* as in *yes*
z	*ds* as in *needs*

zh	*j* as in *jack*
ch	*ch* as in *church*
sh	*sh* as in *shore*

Vowels and Diphthongs

a	*a* as in *father*
ai	*i* as in *knife*
ao	*ow* as in *now*
an	*an* as in *ahn*
ang	like *ong* in *long*
e	*er* as in *her* (Brit.)
ei	*ay* as in *way*
en	weak form of *an* as in *and*
eng	similar with *ung* in *lung*
i	*ea* as in *meat*
ia	*yah*
ie	*ye* as in *yes*
iao	*yow* as in *yowl*
iou	*yee-oh*
ian	*ien* as in *lenient*
in	*ean* as in *mean*
iang	*yee-on*
ing	*ing* as in *sing*
iong	*yee-oong*
o	*aw* as in *law*
ou	*ow* as in *low*
ong	*oo-ng*

u	*oo* as in *too*
ua	*wah*
uo	*wa* as in *water*
uai	*wi* as in *wife*
uei	as *way*
uan	*woo-ahn*
uen	*won* as in *wonder*
uang	*oo-ahng*
ueng	*won* as in *wont*
u*	as "*yü*" in German
üe	no English equivalent
üan	no English equivalent
ün	no English equivalent

Clé de la prononciation

Consonnes initiales

b	comme « p » dans « petit »
c	comme « ts » dans « tsar », fort aspirée
d	comme « d » dans « dada »
f	comme « f » dans « finir »
g	comme « g » dans « gare »
h	comme « r » dans « rat »
j	comme « dj » dans « Djibouti »
k	comme « c » dans « lac »
l	comme « l » dans « la »

m	comme « m » dans « mer »
n	comme « n » dans « nez »
p	comme « pr » dans « prendre »
q	comme « ti » dans « tiens »
r	comme « j » dans « jour »
s	comme « s » dans « salle »
t	comme « t » dans « porte »
w	comme « ou » dans « oubli »
x	comme « chy » dans « Chypre »
y	comme « i » dans « icône »
z	sans équivalence
zh	comme « dj » dans « djinn »
ch	comme « tch » dans « Tchad »
sh	comme « ch » dans « chambre »

Voyelles et diphtongues

a	comme « a » dans « la »
ai	comme « ai » dans « aimer »
ao	comme « au » dans « Australie »
an	comme « ien » dans « viens »
ang	comme « an » dans « danser »
e	comme « e » dans « petit »
ei	comme « é » dans « clé »
en	équivaut à /ən/ dans l'API
eng	équivaut à /ɣŋ/ dans l'API
i	comme « i » dans « bicyclette »
ia	comme « ia » dans « oubliable »

ie	comme « ie » dans « nier »
iao	comme «iao » dans « miao »
iou	équivaut à /iou/ dans l'API
ian	comme « ien » dans « viens »
in	comme « in » dans « yin »
iang	comme «yang »
ing	comme «ing » dans « ping-pong »
iong	comme « ion » dans « lion »
o	équivaut à /ɔ/ dans l'API
ou	équivaut à /ou/ dans l'API
ong	comme « on »
u	comme « ou » dans « oublier »
ua	comme « oi » dans « moi »
uo	équivaut à /uo/ dans l'API
uai	comme « ouai » dans « ouais »
uei	comme « ouer » dans « jouer »
uan	comme « oin » dans « loin »
uen	quivaut à /uən/ dans l'API
uang	comme « ouen » dans « Rouen »
ueng	équivaut à /uɣŋ/ dans l'API
ü*	comme « u » dans « Hugo »
üe	comme « uer » dans « huer »
üan	comme « uan » dans « yuan »
ün	sans équivalence

---

* « ü » s'écrit ainsi uniquement lorsqu'il suit « l » et « n », tandis qu'il s'écrit comme « u » dans toutes les autres places.

有趣的汉字

Interesting Characters
Les caractères intéressants

Chinese characters are one of the oldest written scripts in the world with a history of more than 3,000 years. Nowadays, it is used by the largest group of people in the world. The total number of Chinese characters is about 60,000 among which 6,000 are commonly used in daily life.

Avec une histoire vieille de plus de 3 000 ans, les caractères chinois sont l'une des plus anciennes écritures au monde. Aujourd'hui, ils sont utilisés par le plus grand nombre de personnes sur la planète. Le nombre total des caractères chinois est de 60 000 environ, dont 6 000 sont couramment utilisés dans la vie quotidienne.

The history of Chinese characters stretches back for thousands of years. The oldest Chinese characters were *jia gu wen* (oracle bone script, ancient Chinese characters carved on tortoise shells or animal bones), dating back to 3,400 BC. Scientists estimate that the history of Chinese characters is as long as 5,000 years.

L'histoire des caractères chinois remonte à des milliers d'années. Les plus anciens caractères chinois découverts jusqu'à présent sont les *Jia gu wen* (anciens caractères chinois gravés sur des écailles de tortue ou des os d'animaux), vieux de 3 400 ans. D'après une estimation scientifique, les caractères chinois ont une longue histoire de plus de 5 000 ans.

Chinese characters originate from drawings for keeping records. From ancient times till now, the shape and structure of Chinese characters have experienced a lot of changes, evolving from *jia gu wen*, *jin wen* (inscriptions on ancient bronze objects), *xiao zhuan* (small seal character), *li shu* (official script) to *kai shu* (regular script). *Kai shu* is the currently popular script in China.

Les caractères chinois proviennent de dessins faits pour préserver des notes. De l'ancienne époque jusqu'à aujourd'hui, la forme et la structure des caractères chinois ont connu beaucoup de changements, passant de *Jia gu wen*, *Jin wen* (inscriptions sur les objets en bronze antique), *Xiao zhuan* (caractère petit sceau), *Li shu* (écriture officielle), jusqu'au *Kai shu* (écriture régulière), utilisé actuellement en Chine.

As for the formation of Chinese characters, there are four main categories of Chinese characters:

Quant à la création des caractères chinois, il existe essentiellement quatre catégories de caractères chinois qui sont les suivants :

Pictographs refer to the characters created by drawing the image of a specific object, such as " 日 sun ",

"月 moon", "山 mountain", "羊 goat".

Les pictogrammes réfèrent aux caractères créés à travers le dessin d'un objet spécifique, tel que "日 soleil", "月 lune", "山 montagne", "羊 chèvre".

Pictophonetic characters combine the elements of image and sound. The image part indicates the word's general meaning and the phonetic part indicates the possible pronunciation of the word. For example, "湖 lake" is composed of three dots indicating water and "胡" indicating the pronunciation.

Les caractères pictophonétiques combinent les éléments de l'image et du son. La partie de l'image indique le sens général du mot et la partie phonétique indique la prononciation possible du mot. Par exemple, "湖 lac" est composé de trois points indiquant de l'eau et de "胡" indiquant la prononciation.

Associative compounds are combinations of two or more symbols that are combined to represent a new character of a new meaning. For instance, "休" is a person leaning against a tree, meaning "rest".

Les composantes associatives sont les combinaisons de deux ou plusieurs symboles pour représenter un nouveau caractère ayant un sens nouveau. Par exemple, "休" est une personne s'appuyant contre un arbre, qui signifie le "repos".

Self-explanatory characters are created by adding self-explanatory symbols to pictographs, or else are totally made up of symbols. For example, the character of "刃 blade" is made by adding a point on the cutting edge of a knife "刀", indicating the position of the blade.

Les caractères auto-explicatifs sont créés en ajoutant les symboles auto-explicatifs sur les pictogrammes, ou complètement constitués de symboles, par exemple, le caractère "刃 lame" est créé en ajoutant un point sur la pointe d'un couteau "刀", ce qui indique la position de la lame.

Structurally, Chinese characters are composed of several radicals, which are made up of strokes. The most basic strokes in Chinese characters are the dot stroke (ˋ), the horizontal stroke (一), the vertical stroke (丨), the left-falling stroke (丿), the right-falling stroke (㇏) and the rising stroke (㇀).

Dans la structure des caractères chinois, les caractères sont composés de plusieurs radicaux, qui sont constitués par des traits. Les traits les plus élémentaires dans les caractères chinois sont le point incliné (ˋ), le trait horizontal (一), le trait vertical (丨), le trait oblique gauche (丿), le trait oblique droit (㇏) et le trait montant (㇀).

Radicals are effective tools for estimating a character's meaning, for example, the radical of " 亻 " means "of or related to people", " 扌 " indicates "hand" and is related to "actions", " 氵 " means this character has something to do with water, " 艹 " means "of grass, or plants" and "疒" means "illness or disease". Therefore, even if you don't recognize a character, you can guess its general meaning by its radicals.

Les radicaux sont des outils efficaces pour deviner la signifation d'un caractère, par exemple, le radical " 亻 " signifie "appartenant ou lié à l'homme" , " 扌 " signifie la "main" et est lié à des "actions" , " 氵 " signifie que le caractère a quelque chose à voir avec de "l'eau" , " 艹 " signifie "de l'herbe ou des plantes" et " 疒 " signifie "la maladie" . Par conséquent, si vous ne connaissez pas un caractère, vous pouvez deviner le sens général à travers ses radicaux.

Main Characters/Personages principaux

Tuōní	Mǎlì	Zhāng Hǎi	Lǐ Bǎo
托尼	玛丽	张海	李宝
Tony	Mary	Zhang Hai (Hai)	Li Bao (Bao)

Nǐ hǎo!
1. 你好!
Hello!
Bonjour !

你好! Tony.

你好! Mary.

[Sentences/Phrases]

Nǐ hǎo!
你好!　　 Hello!　　　　　 Bonjour !
Nǐ hǎo ma?
你好吗?　 How are you?　　 Comment allez-vous ?

[Conversation/Dialogue]

（1）
　　　　 Nǐ hǎo!
Tony: 你好!　　 Hello! Bonjour !
　　　　 Nǐ hǎo!
Mary: 你好!　　 Hello! Bonjour !

（2）
　　　　 Nǐ hǎo ma?
Hai: 你好吗?

　　　 How are you?

　　　 Comment allez-vous ?

Wǒ hěn hǎo.
Tony: 我 很 好。 I'm fine. Très bien.

[Words/Vocabulaire]

你	nǐ	you	tu/vous
好	hǎo	good, fine	bien
我	wǒ	I	je
吗	ma	*an interrogative particle*	*particule interrogative*
很	hěn	very	très

Interesting Greetings

When two Chinese acquaintances come across each other, one may ask the other "Nǐ chīfàn le ma?" (Have you eaten?) or "Qù nǎr?" (Where are you going?). There is a good chance that after such addressing they will simply keep on walking without waiting for any answer. These "questions" actually don't reflect the addressers' curiosity about these issues. Rather, they are just common greeting expressions like "Nǐ hǎo". Responses to such greetings might be "Chīle"(I've eaten)/ "Hái méi"(Not yet) or "Chūqu"(I'm going out).

Des façons de saluer intéressantes

Quand deux Chinois se rencontrent, l'un peut demander à l'autre s'il a mangé (Nǐ chīfàn le ma?) ou où il va. (Qù nǎr?) Ensuite, il continue probablement son chemin sans attendre de réponse. En fait, ce n'est pas par curiosité qu'il pose ces questions. C'est seulement une façon de saluer comme «Bonjour (Nǐ hǎo)». A ces questions, on peut répondre «Oui, j'ai déjà mangé (Chīle)» / «Non, pas encore (Hái méi)» ou « Je sors (Chūqu)».

Míngtiān jiàn!
2. 明天 见!
See you tomorrow!

A demain !

[Sentences/Phrases]

Zàijiàn!
再见!

Goodbye!

Au revoir !

Míngtiān jiàn!
明天 见!

See you tomorrow!

A demain !

[Conversation/Dialogue]

（1）

Bao:
Zàijiàn!
再见!
Goodbye!
Au revoir !

Tony:
Zàijiàn!
再见!
Goodbye!
Au revoir !

（2）

Hai:
Míngtiān jiàn，Mǎlì !
明天见，Mary !
See you tomorrow, Mary!
A demain, Mary !

Mary:
Míngtiān jiàn!
明天见!
See you tomorrow!
A demain !

[Words/Vocabulaire]

再见	zàijiàn	goodbye	Au revoir.
明天	míngtiān	tomorrow	demain
见	jiàn	to see	voir

Xièxie !
3. 谢谢!
Thanks!
Merci !

[Sentences/Phrases]

Xièxie !
谢谢!   Thank you!   Merci !
Bú kèqi !
不客气!   You're welcome!   De rien !

[Conversation/Dialogue]

（1）

	Xièxie !		
Mary：	谢谢!	Thank you!	Merci !
	Bú kèqi !		
Tony：	不客气!	You're welcome!	De rien !

（2）

Bao: Fēicháng gǎnxiè!
非 常 感 谢!

Thank you very much!

Merci beaucoup !

Tony: Bú yòng xiè!
不 用 谢!

You are welcome!

De rien !

[Words/Vocabulaire]

谢谢	xièxie	thanks; thank you	Merci.
不客气	bú kèqi	You're welcome.	De rien.
非常	fēicháng	very much	beaucoup
感谢	gǎnxiè	to thank	remercier
不用谢	bú yòng xiè	You are welcome.	De rien.

4.
Duìbuqǐ .
对不起。
Sorry.
Désolé.

![] [Sentences/Phrases]

Duìbuqǐ !
对不起!

I'm sorry!

Je suis désolé.

Méi guānxi !
没 关系!

Never mind!

Ce n'est pas grave.

[Conversation/Dialogue]

(1)

Tony: Duìbuqǐ!
对不起!
I'm sorry!
Désolé.

Bao: Méi guānxi.
没 关系。
Never mind.
Ce n'est pas grave.

(2)

Mary: Hěn bàoqiàn.
很 抱歉。
I am very sorry.
Je suis vraiment désolé.

Tony: Méi shìr.
没 事儿。
That's all right.
Ce n'est pas grave.

[Words/Vocabulaire]

对不起	duìbuqǐ	I'm sorry; sorry	Désolé.
没关系	méi guānxi	It doesn't matter.	Ce n'est pas grave.
很	hěn	very	très
抱歉	bàoqiàn	be sorry; regret	désolé,e
没事儿	méi shìr	Never mind; That's all right.	Ce n'est rien.

Huānyíng nǐmen lái Shànghǎi.
5. 欢迎 你们来 上海。
Welcome to Shanghai.

Bienvenue à Shanghaï.

[Sentences/Phrases]

Huānyíng, huānyíng!
欢迎，欢迎！

Welcome! Welcome!

Bienvenue !

Huānyíng nǐmen lái Shànghǎi!
欢迎你们来上海！

Welcome to Shanghai!

Bienvenue à Shanghaï !

[Conversation/Dialogue]

(1)

Bao:
Huānyíng! Huānyíng!
欢 迎 ! 欢 迎 !
Welcome! Welcome!
Bienvenue !

Tony:
Xièxie !
谢谢!
Thank you!
Merci !

(2)

Bao:
Nǐmen hǎo! Huānyíng nǐmen lái Shànghǎi!
你们 好 ! 欢 迎 你们 来 上 海 !
Hello! Welcome to Shanghai!
Bonjour, bienvenue à Shanghaï !

Tony:
&Mary
Xièxie !
谢谢!
Thank you!
Merci !

[Words/Vocabulaire]

欢迎	huānyíng	welcome	bienvenue
你们	nǐmen	you(*pl.*)	vous
来	lái	to come	venir
上海	Shànghǎi	Shanghai	Shanghaï

Wǒ jiào Tuōní .

6. 我 叫 Tony。
My name is Tony.
Je m'appelle Tony.

▲ [Sentences/Phrases]

Nǐ jiào shénme míngzi?
你 叫 什 么 名字？

What's your name?

Comment vous appelez-vous ?

Wǒ jiào Tuōní .
我 叫 Tony。

My name is Tony.

Je m'appelle Tony.

▲ [Conversation/Dialogue]

(1)　Qǐngwèn, nǐ jiào shénme míngzi?
Hai:　请 问，你 叫 什 么 名字？

　　　Excuse me, what's your name?

　　　Excusez-moi, comment vous appelez-vous ?

Wǒ jiào Tuōní. Nǐ ne?

Tony: 我 叫 Tony。你 呢？

My name is Tony, and you?

Je m'appelle Tony, et vous ?

Wǒ jiào Zhāng Hǎi.

Hai: 我 叫 张 海。

My name is Zhang Hai.

Je m'appelle Zhang Hai.

（2）

Nǐ hǎo! Nǐ shì Mǎlì ma?

Bao: 你 好！你 是 Mary 吗？

Hello! Are you Mary?

Bonjour, tu es Mary ?

Shì de! Wǒ shì Mǎlì.

Mary: 是 的！我 是 Mary。

Yes! I am Mary.

Oui, je suis Mary.

Wǒ shì Lǐ Bǎo. Huānyíng nǐ lái Zhōngguó!

Bao: 我 是 李宝。欢 迎 你 来 中 国！

I am Li Bao. Welcome to China!

Je m'appelle Li Bao. Bienvenue en Chine !

Xièxie!

Mary: 谢谢！

Thank you!

Merci !

[Words/Vocabulaire]

| 请问 | qǐngwèn | Excuse me, may I ask… | Excusez-moi… |
| 叫 | jiào | to call; to be called | s'appeler |

什么	shénme	what	quel/quelle(s)
名字	míngzi	name	nom
我	wǒ	I, me	je/moi
呢	ne	*a particle*	*particule de fin de phrase*
是	shì	be	être
中国	Zhōngguó	China	la Chine

A Chinese Name

A Chinese name is made up of a surname (姓 xìng) and a given name (名 míng), with the former preceding the latter. Surnames usually contain one character (with a few exceptions) while given names are often composed of one or two characters. Therefore, most Chinese names contain two or three characters.

For example:

Full Name Le nom (姓名 xìngmíng)	Surname Nom de famille (姓 xìng)	Given Name Le prénom (名 míng)
张海 Zhāng Hǎi	张 Zhāng	海 Hǎi
李宝 Lǐ Bǎo	李 Lǐ	宝 Bǎo
高小军 Gāo Xiǎojūn	高 Gāo	小军 Xiǎojūn

Un nom chinois

Un nom chinois comprend deux parties, un nom et un prénom. Le nom précède le prénom. En général, le nom se compose d'un seul caractère chinois et le prénom se compose d'un ou deux caractères. Donc, la majorité des noms chinois comprennent deux ou trois caractères.

Hěn gāoxìng rènshi nǐ.

7. 很 高兴 认识 你。

Nice to meet you.

Je suis content de vous
rencontrer.

[Sentences/Phrases]

Zhè wèi shì Zhāng Hǎi.
这 位 是 张 海。

This is Zhang Hai.

C'est Zhang Hai.

Hěn gāoxìng rènshi nǐ
很 高兴 认识 你!

Nice to meet you!

Je suis content de vous rencontrer.

[Conversation/Dialogue]

（1）

Tony:
Mǎlì, zhè wèishì Zhāng Hǎi.
Mary，这位是 张 海。
Mary, this is Zhang Hai.
Mary, c'est Zhang Hai.

Mary:
Nǐ hǎo! Wǒ jiào Mǎlì.
你好！我 叫 Mary。
Hi! I am Mary.
Bonjour, je m'appelle Mary.

Hai:
Nǐ hǎo! Hěn gāoxìng rènshi nǐ!
你好！很 高兴 认识你！
Hi! Nice to meet you!
Enchanté !

Mary:
Wǒ yě hěn gāoxìng rènshi nǐ.
我也很 高兴 认识你。
Nice to meet you too.
Enchantée !

（2）

Hai:
Tā shì shéi?
她是 谁?
Who is she?
Qui est-ce ?

Mary:
Nà wèi shì Lǐ Bǎo.
那位是李宝。
That is Li Bao.
C'est Li Bao.

Hai: Tā shì nǐ de péngyou ma?
她 是 你 的 朋 友 吗?

Is she your friend?

C'est votre amie ?

Mary: Shì de.
是 的。

Yes.

Oui.

[Words/Vocabulaire]

这	zhè	this	ce
位	wèi	*a measure word for people*	*spécificatif des personnes*
高兴	gāoxìng	glad	content,e
认识	rènshi	be acquainted with; to recognize	connaître
也	yě	also	aussi
他	tā	he, him	il/lui
谁	shéi	who	qui
那	nà	that	cela
的	de	*a structural particle*	*particule structurelle*
朋友	péngyou	friend	ami,e
是的	shì de	yes	oui

What is your honorable surname?

On the occasion of meeting someone for the first time, instead of asking each other's full name, Chinese people usually exchange their surnames by asking "Nín guìxìng?" (What's your honorable surname?)

The standard reply is "Miǎn guì xìng + surname".
Nín is the polite form of nǐ, and 'miǎn guì', literally
meaning 'not being honorable', which acts as a modest
response.

Quel est votre nom ?

A l'occasion d'une première rencontre, les Chinois
tendent à demander aux autres leur nom au lieu du
nom complet en disant "Nín guìxìng ?"(Quel est votre
nom ?), et on répond "Miǎn guì xìng + nom" (Mon
nom, c'est…). On utilise nín au lieu de nǐ, c'est un
signe de politesse. Expliqué mot à mot, "miǎn guì"
signifie "ne pas être honorable", c'est aussi une façon
d'exprimer la modestie.

Wǒ shì Měiguórén.

8. 我 是 美国人。

I am American.

Je suis Américaine.

[Sentences/Phrases]

Nǐ shì nǎ guó rén?

你 是 哪 国 人？

What nationality are you?

Quelle est votre nationalité ?

Wǒ shì Měiguórén.

我 是 美国人。

I am American.

Je suis Américane.

[Conversation/Dialogue]

(1)

Tony:
Nǐ shì nǎ guó rén?
你是哪国人？

What nationality are you?

Quelle est votre nationalité ?

Bao:
Wǒ shì Zhōngguórén. Nǐmen ne?
我是中国人。你们呢？

I'm Chinese. What about you?

Je suis Chinoise, et vous ?

Tony:
Wǒ shì Měiguórén.
我是美国人。

I'm American.

Je suis Américain.

Mary:
Wǒ yě shì Měiguórén.
我也是美国人。

I'm American too.

Moi aussi.

(2)

Tony:
Zhāng Hǎi, nǐ shì Zhōngguórén ma?
张海，你是中国人吗？

Zhang Hai, are you Chinese?

Zhang Hai, vous êtes Chinois ?

Hai:
Shì de, wǒ shì Zhōngguórén.
是的，我是中国人。

Yes, I'm Chinese.

Oui, je suis Chinois.

Mary:

Nǐ de tàitai yě shì Zhōngguórén ma?

你的太太也是中国人吗?

Is your wife also Chinese?

Et votre femme, elle est aussi Chinoise ?

Hai:

Shì de, wǒmen dōu shì Zhōngguórén.

是的,我们都是中国人。

Yes, we are both Chinese.

Oui, nous sommes tous Chinois.

[Words/Vocabulaire]

哪	nǎ	which	quel,le(s)
国	guó	country	pays
人	rén	person	personne
不	bù	not	ne pas
美国	Měiguó	America	l'Amérique

Some Countries/Quelques noms de pays:

奥地利	Àodìlì	Austria	l'Autriche
澳大利亚	Àodàlìyà	Australia	l'Australie
比利时	Bǐlìshí	Belgium	la Belgique
加拿大	Jiānádà	Canada	le Canada
捷克	Jiékè	Czech Republic	la Tchéquie
丹麦	Dānmài	Denmark	le Danemark
芬兰	Fēnlán	Finland	la Finlande
法国	Fǎguó	France	la France
德国	Déguó	Germany	l'Allemagne
荷兰	Hélán	Holland	la Hollande
匈牙利	Xiōngyálì	Hungary	la Hongrie
印度	Yìndù	India	l'Inde

意大利	Yìdàlì	Italy	l'Italie
日本	Rìběn	Japan	le Japon
韩国	Hánguó	Republic of Korea	la Corée du sud
新西兰	Xīnxīlán	New Zealand	la Nouvelle-Zélande
挪威	Nuówēi	Norway	la Norvège
巴基斯坦	Bājīsītǎn	Pakistan	le Pakistan
波兰	Bōlán	Poland	la Pologne
罗马尼亚	Luómǎníyà	Romania	la Roumanie
新加坡	Xīnjiāpō	Singapore	Singapour
西班牙	Xībānyá	Spain	l'Espagne
瑞典	Ruìdiǎn	Sweden	la Suède
瑞士	Ruìshì	Switzerland	la Suisse

Wǒ huì shuō yìdiǎnr Hànyǔ.

9. 我 会 说 一点儿 汉语。

I can speak a little Chinese.

Je parle un peu chinois.

[Sentences/Phrases]

Nǐ huì shuō Hànyǔ ma?

你 会 说 汉语 吗？

Can you speak Chinese?

Tu sais parler chinois ?

Wǒ huì shuō yìdiǎnr Hànyǔ.

我 会 说 一点儿 汉语。

I can speak a little Chinese.

Un peu.

[Conversation/Dialogue]

（1）

Hai: Mǎlì, nǐ huì shuō Hànyǔ ma?
Mary, 你 会 说 汉语 吗?
Mary, can you speak Chinese?
Mary, tu sais parler chinois ?

Mary: Wǒ bú huì shuō Hànyǔ, wǒ shuō Yīngyǔ.
我 不 会 说 汉语, 我 说 英语。
I can't speak Chinese; I speak English.
Non, je ne connais pas le chinois, je parle anglais.

Hai: Nǐ ne, Tuōní?
你 呢, Tony ?
What about you ,Tony?
Et toi ? Tony ?

Tony: Wǒ huì shuō yìdiǎnr Hànyǔ.
我 会 说 一点儿 汉语。
I can speak a little Chinese.
Je parle un peu chinois.

（2）

Tony: ' Expo ' Hànyǔ zěnme shuō?
"Expo" 汉语 怎么 说 ?
How do you say "Expo" in Chinese?
Comment on dit "Expo" en chinois ?

Bao: Shìbóhuì.
世博会。
Shìbóhuì.
Shìbóhuì.

Tony:
Shénme yìsi？
什么意思？

What does this mean?

Qu'est-ce que ça signifie ?

Bao:
Shìjiè bólǎnhuì.
世界博览会。

The world's grand exhibition.

Ça signifie une exposition mondiale.

Tony:
Ò，wǒ zhīdào le．Xièxie！
哦，我知道了。谢谢！

Oh, I get it. Thanks!

Ah, j'ai compris. Merci !

Bao:
Bú yòng xiè．
不用谢。

You're welcome.

De rien.

[Words/Vocabulaire]

会	huì	can; be able to	savoir faire
说	shuō	to say, to speak	parler
汉语	Hànyǔ	Chinese	le chinois
英语	Yīngyǔ	English	l'anglais
一点儿	yìdiǎnr	a little	un peu
怎么	zěnme	how	comment
世博会	Shìbóhuì	the World Expo	l'Exposition Universelle
意思	yìsi	meaning	sens
世界	shìjiè	world	monde

博览会	bólǎnhuì	exhibition	exposition
哦	ò	*a particle expressing realization, understanding*	*interjection exprimant une réalisation ou une compréhension*
知道	zhīdào	to know; get it	savoir
了	le	*a structural particle*	*particule structurelle*

Some Languages/Quelques noms de langues

阿拉伯语	Ālābóyǔ	Arabic	l'arabe
法语	Fǎyǔ	French	le français
德语	Déyǔ	German	l'allemand
意大利语	Yìdàlìyǔ	Italian	l'italien
日语	Rìyǔ	Japanese	le japonais
韩语	Hányǔ	Korean	le coréen
俄语	Éyǔ	Russian	le russe
西班牙语	Xībānyáyǔ	Spanish	l'espagnol

Jīntiān xīngqīsān.

10. 今天 星期三。

Today is Wednesday.

Nous sommes mercredi aujourd'hui.

[Sentences/Phrases]

Jīntiān xīngqī jǐ?

今天 星期 几?

What day is it today?

Quel jour sommes-nous aujourd'hui ?

Jīntiān xīngqīsān.

今天 星期三。

Today is Wednesday.

Nous sommes mercredi.

[Conversation/Dialogue]

(1)

Lǐ Bǎo, jīntiān xīngqī jǐ?
Tony: 李宝，今天星期几?

Li Bao, what day is it today?

Li Bao, quel jour sommes-nous aujourd'hui ?

Jīntiān xīngqīsān.
Bao: 今天星期三。

Today is Wednesday.

Nous sommes mercredi.

Nǐ míngtiān qù Shànghǎi ma?
Tony: 你明天去上海吗?

Will you go to Shanghai tomorrow?

Tu iras à Shanghaï demain ?

Bù, wǒ xīngqīwǔ qù Shànghǎi.
Bao: 不，我星期五去上海。

No, I'll go to Shanghai on Friday.

Non, j'y irai vendredi

(2)

Shìbóhuì xīngqī jǐ kāishǐ?
Tony: 世博会星期几开始?

On what day will the Expo begin?

Quel jour commence l'Exposition ?

Xīngqīliù.
Bao: 星期六。

Saturday.

Elle commencera samedi.

Tony:
Nǐ qù kàn ma?
你去看吗？
Will you go to see it?
Tu iras la voir ?

Bao:
Dāngrán qù. Nǐ ne?
当然去。你呢？
Of course. What about you?
Bien sûr, et toi ?

Tony:
Wǒ yě qù.
我也去。
I will go too.
Moi aussi.

[Words/Vocabulaire]

今天	jīntiān	today	aujourd'hui
星期	xīngqī	week	une semaine
几	jǐ	what (day/date/number/time)	quel, quelques
星期三	xīngqīsān	Wednesday	mercredi
去	qù	go to	aller
星期五	xīngqīwǔ	Friday	vendredi
开始	kāishǐ	to begin	commencer
星期六	xīngqīliù	Saturday	samedi
看	kàn	to see	regarder
当然	dāngrán	of course	bien sûr

Numbers/Les chiffres (0-10)

零	líng	0
一	yī	1
二	èr	2
三	sān	3
四	sì	4
五	wǔ	5
六	liù	6
七	qī	7
八	bā	8
九	jiǔ	9
十	shí	10

Days of one week/ Les jours d'une semaine

星期一 （周一）	xīngqīyī (zhōuyī)	Monday	lundi
星期二 （周二）	xīngqī'èr (zhōuèr)	Tuesday	mardi
星期三 （周三）	xīngqīsān (zhōusān)	Wednesday	mercredi
星期四 （周四）	xīngqīsì (zhōusì)	Thursday	jeudi
星期五 （周五）	xīngqīwǔ (zhōuwǔ)	Friday	vendredi
星期六 （周六）	xīngqīliù (zhōuliù)	Saturday	samedi
星期天（星 期日／周日）	xīngqītiān (xīngqīrì zhōurì)	Sunday	dimanche
周末	zhōumò	weekend	le week-end

Jīntiān sì yuè sānshí hào.

11. 今天 4 月 30 号。

Today is April 30th.

Nous sommes aujourd'hui le 30 avril.

 [Sentences/Phrases]

Jīntiān jǐ hào?
今天几号?

What's the date today?

Quelle date sommes-nous ?

Shànghǎi Shìbóhuì èr líng yī líng nián wǔ yuè yī rì kāishǐ.
上海世博会 2 0 1 0 年 5 月 1 日 开始。

Expo Shanghai opens on May 1st, 2010.

L'Exposition universelle de Shanghaï commencera
le 1er mai 2010.

[Conversation/Dialogue]

（1）

Tony:
Jīntiān jǐ hào?
今天几号?
What's the date today?
Quelle date sommes-nous ?

Bao:
Jīntiān sì yuè sānshí hào.
今天4月30号。
Today is April 30th.
Nous sommes aujourd'hui le 30 avril.

Tony:
Shìbóhuì shénme shíhou kāishǐ?
世博会什么时候开始?
When will the Expo begin?
Quand commencera l'Exposition
universelle ?

Bao:
Èr líng yī líng nián wǔ yuè yī rì kāishǐ.
2010年5月1日开始。
It will open on May 1st, 2010.
Elle commencera le 1er mai 2010.

（2）

Mary:
Jīntiān shì jiǔ yuè èrshísān hào ma?
今天是9月23号吗?
Is today September 23rd?
Nous sommes le 23 septembre ?

Tony:
Bù, jīntiān shì èrshíèr hào.
不，今天是22号。
No, today is the 22nd.
Non, nous sommes aujourd'hui le 22
septembre.

Mary: Shìbóhuì jǐ yuè jǐ hào jiéshù?
世博会几月几号结束？

When will the Expo close?

Quand fermera l'Exposition universelle ?

Tony: Shí yuè sānshíyī hào jiéshù.
10 月 3 1 号结束。

It will finish on October 31st.

Elle fermera le 31 octobre.

 [Words/Vocabulaire]

号	hào	date	date
月	yuè	month	mois
时候	shíhou	time, moment	heure / moment
年	nián	year	an / année
日	rì	day	jour
结束	jiéshù	to finish, to end	terminer, finir, fermer

Numbers (over 10)/Les chiffres supérieurs à 10

十五	shíwǔ	15
二十	èrshí	20
二十五	èrshíwǔ	25
三十	sānshí	30
三十七	sānshíqī	37
七十九	qīshíjiǔ	79
一百	yìbǎi	100
一百零八	yìbǎi líng bā	108
两千	liǎngqiān	2000

Date Expression / Expression de la date

1997 年 7 月 1 日	yī jiǔ jiǔ qī nián qī yuè yī rì	July 1st, 1997	le 1er juillet 1997
2000 年 2 月 10 日	èr líng líng líng nián èr yuè shí rì	February 10th, 2000	le 10 février 2000
2008 年 8 月 8 日	èr líng líng bā nián bā yuè bā rì	August 8th, 2008	le 8 août 2008
2010 年 5 月 1 日	èr líng yī líng nián wǔ yuè yī rì	May 1st, 2010	le 1er mai 2010

Xiànzài shíyī diǎn shíwǔ fēn.

12. 现在 11 点 15 分。

It is eleven fifteen now.

Il est onze heures quinze.

[Sentences/Phrases]

Qǐngwèn, xiànzài jǐ diǎn?
请 问 , 现在 几 点 ?

Excuse me, what time is it now?

Excusez-moi, quelle heure est-il ?

Xiànzài shíyī diǎn shíwǔ fēn.
现在 11 点 15 分。

It is eleven fifteen now.

Il est onze heures quinze.

[Conversation/Dialogue]

（1）

Tony:
Qǐngwèn, xiànzài jǐ diǎn?
请问，现在几点？

Excuse me, what time is it now?

Excusez-moi, quelle heure est-il ?

Mary:
Xiànzài shíyī diǎn shíwǔ fēn.
现在 11 点 15 分。

It is eleven fifteen now.

Il est onze heures quinze.

Tony:
Wǒmen shíyī diǎn bàn chī wǔfàn, hǎo ma?
我们十一点半吃午饭，好吗？

Let's have lunch at eleven thirty, OK?

Est-ce qu'on va déjeuner à onze heure et
demie ?

Mary:
Hǎo de.
好的。

OK.

D'accord !

（2）

Mary:
Diànyǐng jǐ diǎn kāishǐ?
电影几点开始？

What time will the movie begin?

Quand commence le film ?

Tony:
Wǎnshang qī diǎn. Wǒmen liù diǎn chūfā
晚上七点。我们六点出发，
hǎo ma?
好吗？

7:00 pm. Shall we leave at 6:00 pm?

A 7h du soir. On part à 6h du soir ?

Mary: Hǎo de. Wǎnshang jǐ diǎn huílái?
好 的。 晚 上 几 点 回来?

OK. When will we come back?

D'accord ! Quand rentre-t-on ?

Tony: Dàyuē jiǔ diǎn.
大约 九 点。

About 9 o'clock.

Vers 9h.

[Words/Vocabulaire]

现在	xiànzài	now	maintenant
点	diǎn	hour	heure
分	fēn	minute	minute
我们	wǒmen	we, us	nous
半	bàn	half	une demi-heure
吃	chī	to eat	manger
午饭	wǔfàn	lunch	déjeuner
电影	diànyǐng	movie	film
晚上	wǎnshang	evening	soir
出发	chūfā	set off; to leave	partir
回来	huílái	come back	rentrer, retourner
大约	dàyuē	about	vers, environ

Time Expression/Exprimer l'heure

八点	bā diǎn	8:00
八点零三分	bā diǎn líng sān fēn	8:03
八点十分	bā diǎn shí fēn	8:10
八点十五 / 八点一刻	bā diǎn shíwǔ / bā diǎn yí kè	8:15
八点三十 / 八点半	bā diǎn sānshí / bā diǎn bàn	8:30
八点四十五 / 八点三刻	bā diǎn sìshíwǔ / bā diǎn sān kè	8:45
八点五十五 / 九点差五分	bā diǎn wǔshíwǔ / jiǔ diǎn chà wǔ fēn	8:55

前天	qiántiān	the day before yesterday	avant-hier
昨天	zuótiān	yesterday	hier
今天	jīntiān	today	aujourd'hui
明天	míngtiān	tomorrow	demain
后天	hòutiān	the day after tomorrow	après-demain
早上	zǎoshang	early morning	de bon matin; aube
上午	shàngwǔ	morning	matin
中午	zhōngwǔ	noon	midi
下午	xiàwǔ	afternoon	après-midi
晚上	wǎnshang	evening	soir
早上八点	zǎoshang bā diǎn	8:00 am	8h du matin
晚上八点	wǎnshang bā diǎn	8:00 pm	8h du soir

Wǒ yùdìngle fángjiān.
13. 我 预订了 房间。
I have reserved a room.

J'ai réservé une chambre.

Wǒ yùdìngle fángjiān.
我 预订了 房间。

I have reserved a room.

J'ai réservé une chambre.

Nín zhù yāo líng yāo liù hào fángjiān.
您住 1 0 1 6 号 房间。

Your room is number 1016.

Votre chambre est la 1016.

[Conversation/Dialogue]

（1）
Nín hǎo, xiānsheng, huānyíng guānglín!
Receptionist：您好，先生，欢迎光临！

Hello sir, welcome!

Réceptionniste: Bonjour, Monsieur. Bienvenue !

Tony:
Nǐ hǎo, wǒ yùdìngle fángjiān.
你 好 ，我 预订了 房 间 。

Hi, I have reserved a room.

Bonjour, j'ai déjà réservé une chambre.

Receptionist:
Qǐngwèn nín jiào shénme míngzi?
请 问 您 叫 什 么 名字?

May I have your name please?

Réceptionniste: Quel est votre nom ?

Tony:
Wǒ jiào Tuōní.
我 叫 Tony。

My name is Tony.

Je m'appelle Tony.

Receptionist:
Qǐng shāo děng. Xiānsheng, nín zhù
请 稍 等 。 先 生 ，您 住
yāo líng yāo liù hào fángjiān.
1 0 1 6 号 房 间 。

Just a moment please. Sir, your
room is 1016.

Réceptionniste: Un instant, s'il vous plaît. Monsieur,
votre chambre est la 1016.

(2)
Receptionist:
Xiānsheng, qǐng chūshì nín de hùzhào.
先 生 ，请 出示您的 护 照 。

Sir, your passport, please.

Réceptionniste: Monsieur, votre passeport, s'il vous
plaît.

Tony:
Gěi.
给。

Here it is.

Tenez.

Receptionist:
Nín de fángjiān hào shì yāo líng yāo liù.
您 的 房 间 号 是 1 0 1 6 。
Qǐng zài zhèr qiānmíng.
请 在 这 儿 签 名 。

Your room number is 1016. Please

sign your name here.

Réceptionniste: Votre chambre est la 1016. Signez

ici, s'il vous plaît.

Tony:
Hǎo de.
好 的。

OK.

D'accord.

Receptionist:
Zhè shì nín de fángkǎ.
这 是 您 的 房 卡。

This is your room key.

Réceptionniste: Voilà la clé de votre chambre.

Tony:
Xièxie.
谢谢。

Thank you.

Merci.

Receptionist:
Bú kèqi.
不 客 气。

You are welcome.

Réceptionniste: Je vous en prie.

服务员	fúwùyuán	waiter, waitress, receptionist	réceptionniste
您	nín	a polite form of "你 (you)"	vous
先生	xiānsheng	sir	monsieur
光临	guānglín	to attend; to be present	se présenter, assister à
预订	yùdìng	to book, to reserve	réserver
房间	fángjiān	room	chambre
请	qǐng	please	s'il vous plaît
稍等	shāo děng	just a moment	un instant
住	zhù	to stay	habiter
出示	chūshì	to show	montrer, présenter
护照	hùzhào	passport	passeport
给	gěi	to give	donner
在	zài	there is/are	être (dans un lieu)
这儿	zhèr	here	ici
签名	qiānmíng	to sign	signer
房卡	fángkǎ	room key	clé de la chambre

Chinese Currency/La monnaie chinoise

1 角	yì jiǎo	0.1 yuan
5 角	wǔ jiǎo	0.5 yuan
1 元	yì yuán	1 yuan
5 元	wǔ yuán	5 yuan
10 元	shí yuán	10 yuan
20 元	èrshí yuán	20 yuan
50 元	wǔshí yuán	50 yuan
100 元	yìbǎi yuán	100 yuan

Wǒ xiǎng huàn yìdiǎnr qián.
14. 我 想 换 一点儿 钱。

I want to exchange some money.

Je voudrais échanger de l'argent.

这是 1000 美元，请换成人民币。

[Sentences/Phrases]

Wǒ xiǎng huàn yìdiǎnr qián.
我 想 换 一点儿 钱。

I want to exchange some money.

Je voudrais échanger de l'argent.

Qǐng huànchéng Rénmínbì.
请 换 成 人民币。

Please exchange it into RMB.

Changez cet argent contre des RMB, s'il vous plaît.

[Conversation/Dialogue]

（1）

Nǐ hǎo! Wǒ xiǎng huàn yìdiǎnr qián.
Tony： 你 好! 我 想 换 一点儿 钱。

Hello! I want to exchange some money.

Bonjour ! Je voudrais échanger de l'argent.

Staff:
Nín xiǎng huàn shénme qián? Yào huàn
您 想 换 什么 钱? 要 换
duōshao?
多 少?

What currency, and how much do you
want to exchange?

Employée: Contre quelle monnaie et combien
d'argent voulez-vous échanger ?

Tony:
Zhè shì yìqiān Měiyuán, qǐng huànchéng
这是 1000 美元, 请 换 成
Rénmínbì.
人民币。

This is 1,000 US dollars; please
exchange it into RMB.

Voilà 1 000 USD. Changez ces dollars
en RMB, s'il vous plaît.

Staff:
Hǎo de.
好 的。

Okay.

Employée: D'accord.

(2)

Tony:
Qǐngwèn, jīntiān Měiyuán duì Rénmínbì de
请 问, 今天 美 元 对 人民币 的
huìlù shì duōshao?
汇率 是 多 少?

Excuse me, what is the exchange rate
for USD to RMB today?

Excusez-moi, quel est le taux de
change USD/ RMB ?

Staff:
Jīntiān de huìlǜ shì yī bǐ liù diǎn bā sān,
今天的汇率是1：6．83，
suǒyǐ yìqiān Měiyuán kěyǐ huàn
所以1000美元可以换
liùqiān bābǎi sānshí yuán Rénmínbì.
6 8 3 0 元人民币。

The exchange rate today is 1:6.83, so 1,000 US dollars can be exchanged into 6,830 yuan.

Employée: Le taux de change d'aujourd'hui est 1:6, 83, vous pouvez donc échanger 1 000 USD contre 6 830 RMB.

Tony:
Duì.
对。

Right.

Exactement.

Staff:
Gěi, zhè shì liùqiān bābǎi sānshí yuán
给，这是 6 8 3 0 元
Rénmínbì. Qǐng zài zhèr qiānmíng.
人民币。请在这儿签名。

Here you are, 6,830 yuan. Please sign your name here.

Employée: Tenez. Voilà 6 830 yuan. Signez ici, s'il vous plaît.

Tony:
Hǎo, xièxie.
好，谢谢。

Okay. Thank you.

D'accord. Merci !

[Words/Vocabulaire]

想	xiǎng	to want	vouloir
换	huàn	to change	échanger, changer
钱	qián	money	argent / monnaie
职员	zhíyuán	staff	employé,e
要	yào	should, must	vouloir
多少	duōshao	how many/much	combien
美元	Měiyuán	U.S. dollar	USD, dollar américain
成	chéng	turn into	devenir
人民币	Rénmínbì	RMB, CNY	RMB, CNY
对	duì	right	juste, exact
汇率	huìlǜ	rate of exchange (ROE)	taux de change
所以	suǒyǐ	so	donc
可以	kěyǐ	can	pouvoir
元	yuán	yuan	yuan

Some Currencies/Quelques noms de monnaies

人民币	Rénmínbì	renminbi	Renminbi
美元	Měiyuán	U.S. dollar	Dollar américain
欧元	Ōuyuán	Euro	Euro
英镑	Yīngbàng	pound sterling	Livre sterling
日元	Rìyuán	yen	Yen
卢布	Lúbù	Russian ruble	Rouble russe
加拿大元	Jiánádàyuán	Canadian dollar	Dollar canadien
澳大利亚元	Àodàlìyàyuán	Australian dollar	Dollar australien
瑞士法郎	Ruìshìfǎláng	Swiss franc	Franc suisse
新西兰元	Xīnxīlányuán	New Zealand dollar	Dollar néo-zélandais

Nǎr kěyǐ shàngwǎng?
15. 哪儿 可以 上网 ?
Where can I access the Internet?
Où puis-je accéder à Internet ?

如果您有笔记本电脑,房间里可以免费无线上网。

请问哪儿可以上网?

[Sentences/Phrases]

Nǎr kěyǐ shàngwǎng?
哪儿 可以 上 网 ?

Where can I access the Internet?

Où puis-je accéder à Internet ?

Fángjiān li kěyǐ miǎnfèi wúxiàn shàngwǎng.
房 间 里 可以 免费 无线 上 网 。

Free wireless connection to the Internet is available in the rooms.

Le Wifi est accessible dans la chambre.

[Conversation/Dialogue]

（1）

Tony:
Qǐngwèn nǎr kěyǐ shàngwǎng?
请 问 哪儿 可以 上 网?

Excuse me, where can I access the Internet?

Excusez-moi, où puis-je accéder à Internet ?

Receptionist:
Rúguǒ nín yǒu bǐjìběn diànnǎo, fángjiān
如果 您 有 笔记本 电脑 ， 房间
li jiù kěyǐ shàngwǎng.
里 就 可以 上 网 。

If you have a laptop, you can access the Internet in your room.

Réceptionniste: Si vous avez un ordinateur portable, vous pourrez accéder à Internet dans votre chambre.

Tony:
Yào fù qián ma?
要 付 钱 吗?

Is there a fee?

C'est payant ?

Receptionist:
Bú yòng, fángjiān li kěyǐ miǎnfèi
不 用 ， 房间 里 可以 免费
wúxiàn shàngwǎng.
无线 上 网 。

No, there isn't. Free wireless connection to the Internet is available in the rooms.

Réceptionniste: Non, un service d'accès gratuit au Wifi est disponible dans la chambre.

Tony:
Ò, xièxie!
哦，谢谢！
Oh, thank you!
Oh, merci !

(2)

Tony:
Nǐ hǎo, qǐngwèn nǎli kěyǐ shōu fā diànzǐyóujiàn?
你好，请问哪里可以收发电子邮件？
Hello. Can you tell me where I can send and receive e-mails?
Bonjour ! Où puis-je envoyer et recevoir des e-mails ?

Receptionist:
Nín kěyǐ qù shāngwù zhōngxīn.
您可以去商务中心。
You can go to business center.
Réceptionniste: Vous pouvez aller au centre d'affaires.

Tony:
Yào fù qián ma?
要付钱吗？
Is there a fee ?
C'est payant ?

Receptionist:
Shì de, yì xiǎoshí wǔ kuài qián.
是的，一小时五块钱。
Yes. The fee is 5 yuan an hour.
Réceptionniste: Oui, 5 yuan par heure.

Tony:
Hǎo de, xièxie.
好的，谢谢。
Okay, thank you.
D'accord. Merci !

Bú yòng xiè .
Receptionist: 不 用 谢。

You are welcome.

Réceptionniste: Je vous en prie.

[Words/Vocabulaire]

哪儿	nǎr	where	où
上网	shàngwǎng	access the Internet	accéder à Internet
如果	rúguǒ	if	si
有	yǒu	have; there is/are	avoir/ il y a
笔记本	bǐjìběn	notebook	ordinateur portable
电脑	diànnǎo	computer	ordinateur PC
里	li	inside	dedans
就	jiù	then	alors, donc
付	fù	to pay	payer
免费	miǎnfèi	for free	gratuit
无线	wúxiàn	wireless	sans fil
哪里	nǎli	where	où
收发	shōu fā	to receive and send	recevoir et envoyer
电子邮件	diànzǐ-yóujiàn	e-mail	e-mail
商务中心	shāngwù zhōngxīn	business center	centre d'affaires
小时	xiǎoshí	hour	heure
块	kuài	yuan, the basic unit of Chinese money	yuan, unité de base de la monnaie chinoise

Xūyào bāngzhù ma?
16. 需要 帮助 吗?
May I help you?

Puis-je vous aider ?

请帮我打印一下这份文件。

[Sentences/Phrases]

Nín hǎo, xūyào bāngzhù ma?
您 好，需要 帮 助 吗?

May I help you?

Puis-je vous aider ?

Zhèr kěyǐ fùyìn ma?
这儿 可以 复印 吗?

Can I copy something here?

Je peux faire des photocopies ici ?

[Conversation/Dialogue]

（1）

Staff:
Nín hǎo, xūyào bāngzhù ma?
您 好，需要 帮 助 吗?

Hello, may I help you?

Employée: Bonjour, je peux vous aider ?

Tony:
Wǒ xiǎng fā yí fèn chuánzhēn.
我 想 发 一 份 传 真。

I want to send a fax.

Je voudrais envoyer une télécopie.

Staff:
Hǎo, wǒ lái bāng nín. Chuánzhēn hàomǎ
好，我来 帮 您。传 真 号 码
shì duōshao?
是 多 少?

Okay, let me help you. What is the fax
number?

Employée: D'accord. Je vais vous aider. Quel est
le numéro de télécopie ?

Tony:
líng yāo líng-liù wǔ èr qī * * * *.
0 1 0 - 6 5 2 7 * * * *。

010-6527****.

010-6527****.

Staff:
Hǎo le.
好 了。

Done.

Employée: C'est fait.

Tony:
Xièxie!
谢谢!

Thank you!

Merci !

Staff: Bú kèqi.
不客气。

You are welcome.

Employée: De rien.

(2)

Tony: Zhèr kěyǐ fùyìn ma?
这儿可以复印吗?

Can I copy something here?

Puis-je faire des photocopies ici ?

Staff: Kěyǐ.
可以。

Sure.

Employée: Bien sûr.

Tony: Qǐng bāng wǒ fùyìn yíxià zhè fèn wénjiàn.
请 帮 我 复印 一下 这 份 文件。

Please help me copy this document.

Aidez-moi à photocopier ce document,
s'il vous plaît.

Staff: Nín yào fùyìn jǐ fèn?
您 要 复印 几 份?

How many copies do you want to make?

Employée: Combien de copies voulez-vous ?

Tony: Wǔ fèn.
5 份。

Five copies.

J'en veux cinq.

Staff:
Hǎo de，qǐng shāo děng.
好 的，请 稍 等。

OK, please wait a moment.

Employée: D'accord. Un instant, s'il vous plaît.

Tony:
Zhèr kěyǐ dǎyìnma?
这儿可以打印吗?

Can I print something here?

Est-ce que c'est possible d'imprimer ici ?

Staff:
Kěyǐ.
可以。

Sure

Employée: Bien sûr.

[Words/Vocabulaire]

需要	xūyào	to need	avoir besoin de
帮助	bāngzhù	to help	aider
发	fā	to send	envoyer
份	fèn	a piece of	un morceau
传真	chuánzhēn	fax	télécopie
帮	bāng	to help	aider
号码	hàomǎ	number	numéro
复印	fùyìn	to duplicate	photocopier, dupliquer
一下	yíxià	one time; once	une fois
文件	wénjiàn	document	document

Zhōngcāntīng de diànhuà shì

17. 中餐厅 的 电话 是

liù sān èr líng ****

6320 ****。

The phone number of the Chinese restaurant is 6320****.

Le numéro de téléphone du restaurant chinois est 6320****.

[Sentences/Phrases]

Qǐngwèn, cāntīng de diànhuà shì duōshao?
请问，餐厅的电话是多少？

Excuse me, what is the phone number of the restaurant?

Excusez-moi, quel est le numéro de téléphone du restaurant ?

Zhōngcāntīng de diànhuà shì liù sān èr líng ****.
中 餐 厅 的 电 话 是 6 3 2 0 ****。

The phone number of the Chinese restaurant is
6320****.

Le numéro de téléphone du restaurant chinois est
6320****.

[Conversation/Dialogue]

（1）

Tony：
Qǐngwèn, cāntīng de diànhuà shì
请 问，餐 厅 的 电 话 是
duōshao?
多 少 ？

Excuse me, what is the phone
number of the restaurant?

Excusez-moi, quel est le numéro de
téléphone du restaurant ?

Receptionist：
Zhōngcāntīng háishì xīcāntīng?
中 餐 厅 还是 西餐厅?

The Chinese restaurant or the
Western restaurant?

Réceptionniste：Vous voulez celui du restaurant
chinois ou du restaurant occidental ?

Tony：
Wǒ dōu xiǎng zhīdào.
我 都 想 知 道。

I would like both.

Les deux, s'il vous plaît.

Receptionist：
Zhōngcāntīng de diànhuà shì
中 餐 厅 的 电 话 是

liù sān èr líng *** yāo，xīcāntīng de shì
6 3 2 0 *** 1，西餐厅的是
liù sān èr líng *** èr.
6 3 2 0 *** 2。

The phone number of the Chinese restaurant is 6320***1, and the Western restaurant's is 6320***2.

Réceptionniste: Le numéro du restaurant chinois est 6320***1 et celui du restaurant occidental est 6320***2.

Tony:
Xièxie !
谢谢！
Thank you!
Merci beaucoup !

Receptionist:
Bú yòng xiè.
不 用 谢。
You are welcome.

Réceptionniste: De rien.

（2）

Mary:
Míngtiān de wǎnhuì jǐ diǎn kāishǐ?
明 天 的 晚会 几 点 开始？
When will the party tomorrow night begin?
Quand commencera la soirée de demain ?

Tony:
Xiànzài wǒ hái bù zhīdào，míngtiān gàosu nǐ ba.
现在 我 还 不 知道，明 天 告诉 你 吧。
I don't know yet, but I will tell you tomorrow.
Je ne sais pas encore. Mais je vous le dirai demain.

Mary:

Hǎo.

好。

Okay.

D'accord.

Tony:

Nǐ de shǒujī hàomǎ shì duōshao?

你的手机号码是多少？

What's your cell phone number?

Quel est votre numéro de portable ?

Mary:

Yāo wǔ jiǔ èr yāo líng qī ****.

1 5 9 2 1 0 7 ****。

1592107****.

1592107****.

Tony:

Nǐ jiā de diànhuà shì duōshao?

你家的电话是多少？

What is your home telephone number?

Quel est votre numéro de téléphone fixe ?

Mary:

Bā qī wǔ yāo ****.

8 7 5 1 ****。

8751****.

8751****.

Tony:

Wǒ míngtiān gěi nǐ dǎ diànhuà.

我明天给你打电话。

I will call you tomorrow.

Je vous appellerai demain.

[Words/Vocabulaire]

餐厅	cāntīng	dining-hall; restaurant	restaurant
电话	diànhuà	phone	téléphone
中餐厅	zhōngcāntīng	Chinese restaurant	restaurant chinois
西餐厅	xīcāntīng	Western restaurant	restaurant occidental
还是	háishì	or	ou
都	dōu	all	tout, tous, toute, toutes
还	hái	in addition; yet; still	encore
告诉	gàosu	to tell	dire, raconter
吧	ba	*a particle*	*particule*
手机	shǒujǐ	mobile phone	téléphone portable
打	dǎ	to call	appeler, téléphoner

Wèi, qǐngwèn, Zhāng Hǎi zài ma?

18. 喂，请问，张海在吗?

Hello, may I speak to Zhang Hai, please?

Allô, puis-je parler à Zhang Hai,
s'il vous plaît?

[Sentences/Phrases]

Wèi, qǐngwèn Zhāng Hǎi zài ma?
喂，请问 张 海在吗?

Hello, may I speak to Zhang Hai, please?

Allô, puis-je parler à Zhang Hai, s'il vous plaît ?

Wǒ jiù shì.
我就是。

Speaking.

Oui, c'est lui-même.

[Conversation/Dialogue]

(1)

Wèi?
Hai: 喂?

Hello?

Allô ?

Mary :
Wèi, qǐngwèn, Zhāng Hǎi zài ma?
喂，请问，张海在吗？

Hi! May I speak to Zhang Hai, please?

Allô, puis-je parler à Zhang Hai, s'il vous plaît ?

Hai :
Wǒ jiù shì. Nín shì nǎ wèi?
我就是。您是哪位？

Speaking. Who is this?

Oui, c'est lui-même. C'est de la part de qui ?

Mary :
Wǒ shì Mǎlì.
我是 Mary。

This is Mary.

De la part de Mary.

Hai :
Ò, Mǎlì! Nǐ hǎo! Nǐ zuìjìn hǎo ma?
哦，Mary！你好！你最近好吗？

Oh, Mary! Hi! How are you?

Ah ! Bonjour, Mary ! Comment allez-vous ?

Mary :
Wǒ hěn hǎo, xièxie.
我很好，谢谢。

I'm fine. Thanks.

Très bien, merci.

（2）

Hai :
Wèi, nǐ hǎo!
喂，你好！

Hello!

Allô ?

Tony:
Nǐ hǎo, qǐngwèn, Lǐ Bǎo zài ma?
你好，请问，李宝在吗？
Hi. May I speak to Li Bao please?
Allô, puis-je parler à Li Bao, s'il vous plaît ?

Hai:
Tā bú zài, nín shì nǎ wèi?
她不在，您是哪位？
She is not in. Who is speaking please?
Elle n'est pas là. Qui est à l'appareil ?

Tony:
Wǒ jiào Tuōní. Qǐngwèn tā jǐ diǎn huílái?
我叫 Tony。请问她几点回来？
This is Tony. May I know when she will come back?
C'est Tony. Quand reviendra-t-elle ?

Hai:
Dàyuē sì wǔ diǎn ba.
大约四五点吧。
At four or five o'clock.
Vers 4h ou 5h.

Tony:
Hǎo, wǒ wǎnshang gěi tā dǎ diànhuà. Xièxie!
好，我晚上给她打电话。谢谢！
OK. I will call her in the evening. Thank you!
Bon. Je la rappellerai ce soir. Merci.

[Words/Vocabulaire]

喂	wèi	hello	allô
就	jiù	just	juste
最近	zuìjìn	recently	ces jours-ci
回来	huílái	be back; come back	revenir, rentrer, retourner
大约	Dàyuē	or so; about	vers; à peu près

Wǒ zhù Huáshèng Bīnguǎn yāo líng yāo liù hào

19. 我 住 华 盛 宾馆 1016 号

fángjiān.

房间。

I stay at Huasheng Hotel, Room 1016.

Je séjourne à l'Hôtel Huasheng, chambre 1016.

李宝,你家住哪儿?

[Sentences/Phrases]

Nǐ zhù nǎr?

你 住 哪儿?

Where are you staying?

Où habitez-vous?

Wǒ zhù Huáshèng Bīnguǎn yāo líng yāo liù hào fángjiān.
我 住 华 盛 宾 馆 1 0 1 6 号 房 间。
I am staying at the Huasheng Hotel, Room 1016.
Je séjourne à l'Hôtel Huasheng, chambre 1016.

![icon] **[Conversation/Dialogue]**

（1）

Bao:
Wèi, nǐ hǎo.
喂，你 好。
Hello.
Allô ?

Tony:
Nǐ hǎo, qǐngwèn shì Lǐ Bǎo ma?
你好，请问 是 李 宝 吗?
Hello. Is this Li Bao speaking?
Allô, c'est Li Bao ?

Bao:
Wǒ jiù shì, nín shì nǎwèi?
我 就 是，您 是 哪位?
Yes, speaking. Who is this?
Oui, c'est elle-même. C'est de la part de qui ?

Tony:
Wǒ shì Tuōní, wǒ dào Shànghǎi le.
我 是 Tony，我 到 上 海 了。
This is Tony. I have arrived in Shanghai.
De la part de Tony. Je suis arrivé à Shanghaï.

Bao:
Ò, Huānyíng! Huānyíng! Nǐ zhù nǎr?
哦，欢 迎! 欢 迎! 你 住 哪儿?
Oh, welcome! Where are you staying?
Ah, bienvenue ! Où habitez-vous ?

Tony:
Wǒ zhù Huáshèng Bīnguǎn yāo líng yāo liù hào
我 住 华 盛 宾 馆 1 0 1 6 号

073

fángjiān.
房间。

I'm staying at the Huasheng Hotel, Room 1016.

Je séjourne à l'Hôtel Huasheng, chambre 1016.

Wǒ wǎnshang qù kàn nǐ.

Bao: 我 晚 上 去 看 你。

I will come to see you this evening.

J'y vais vous voir ce soir.

（2）

Lǐ Bǎo, nǐ jiā zhù nǎr?

Tony: 李宝，你家住哪儿?

Li Bao, where is your house?

Li Bao, où habitez-vous ?

Wǒ jiā zhù Huáihǎi Zhōnglù jiǔ èr qī lòng shíyī hào.

Bao: 我家住淮海中路 9 2 7 弄 1 1 号。

I live at No.11, 927 Lane, Middle Huaihai Road.

Mon adresse est No.11, Ruelle 927, Rue Huaihaizhong.

Nǐ jiā shì gōngyù háishì shíkùmén fángzi?

Tony: 你家是公寓还是石库门房子?

Is it an apartment or a Shikumen?

C'est un appartement ou un Shikumen ?

Wǒ de jiā shì shíkùmén fángzi, yǒu kōng lái

Bao: 我的家是石库门房子，有 空来

wánr.

玩儿。

It's a Shikumen house. You're welcome

to visit my home in your free time.

Un Shikumen. Vous êtes le bienvenu si vous avez du temps libre.

Tony:
Hǎo, wǒ hěn xǐhuan Shànghǎi de shíkùmén.
好，我 很 喜欢 上 海 的 石库门。

Great, I like the Shikumens of Shanghai very much.

Super ! J'aime beaucoup les Shikumen de Shanghaï.

[Words/Vocabulaire]

到	dào	to arrive	arriver
华盛宾馆	Huáshèng Bīnguǎn	Huasheng Hotel	Hôtel Huasheng
宾馆	bīnguǎn	hotel	hôtel
间	jiān	*a measure word for room*	*spécificatif d'une pièce*
家	jiā	home, house	chez moi, maison
淮海中路	Huáihǎi Zhōnglù	Middle Huaihai Road	Rue Huaihaizhong
弄	lòng	lane, alley	ruelle
公寓	gōngyù	apartment, flat	appartement n.m
石库门	shíkùmén	Shikumen	Shikumen
房子	fángzi	house	maison
空	kòng	free time	temps libre
玩儿	wánr	to play; have fun	s'amuser
喜欢	xǐhuan	to like	aimer

Zhōumò nǐ yǒu kòng ma?

20. 周末 你 有 空 吗?

Are you free at the weekend?

Vous êtes libre ce week-end?

Tony,周末你有空吗?

[Sentences/Phrases]

Zhōumò nǐ yǒu kòng ma?
周末 你 有 空 吗?

Are you free at the weekend?

Vous êtes libre ce week-end ?

Wǒ xiǎng qǐng nǐ lái wǒ jiā wánr.
我 想 请 你 来 我 家 玩儿。

I want to invite you to visit my home.

Je voudrais vous inviter chez moi.

[Conversation/Dialogue]

（1）

Bao：
Tuōní， zhōumò nǐ yǒu kòng ma?
Tony, 周末 你 有 空 吗?
Tony, are you free this weekend?
Tony, est-ce que vous êtes libre ce weekend ?

Tony：
Yǒu。 Shénme shì?
有。什么 事?
Yes, I'm free. What's happening?
Oui, je suis libre. Qu'est-ce qu'il y a ?

Bao：
Wǒ xiǎng qǐng nǐ lái wǒ jiā wánr。
我 想 请 你 来 我 家 玩儿。
I want to invite you to visit my home.
Je voudrais vous inviter chez moi.

Tony：
Tài hǎo le！ Xīngqīliù háishì xīngqītiān?
太 好 了! 星期六 还是 星期天?
That's great! On Saturday or Sunday?
Super ! Samedi ou dimanche ?

Bao：
Xīngqīliù xiàwǔ kěyǐ ma?
星期六 下午 可以 吗?
How about Saturday afternoon?
Qu'est-ce que vous diriez de samedi après-midi ?

Tony：
Méi wèntí！
没问题!
No problem!
Pas de problème !

(2)

Hai:
Wǒ qǐng nǐmen qù hēchá, zěnmeyàng?
我 请 你们 去 喝茶，怎么样？

I would like to invite you to drink tea, OK?

Si je vous invitais à boire du thé ?

Tony:
Hǎo ā, wǒmen hěn xiǎng kànkan Zhōngguó
好 啊，我们 很 想 看看 中 国
de cháguǎn.
的 茶馆。

Great! We would like to learn all about Chinese teahouses.

Super ! Nous aimerions vraiment voir une maison de thé chinoise.

Mary:
Shì ā. Shénme shíhou qù?
是 啊。什么 时候 去？

OK. When shall we go?

Oui, on y va quand ?

Hai:
Zhōuliù xíng ma?
周六 行 吗？

How about this Saturday?

Samedi, ca va ?

Tony:
Duìbuqǐ, zhōuliù wǒmen yào qù kàn
对不起，周六 我们 要 去 看
zhǎnlǎn. Zhōurì wǒmen yǒu kōng.
展览。周日 我们 有 空。

Sorry, we have to go to an exhibition on Saturday. We are free on Sunday though.

Désolé, nous allons à l'exposition ce samedi. Dimanche nous sommes libres.

Hai:
Nà xīngqīrì xiàwǔ jiàn!
那星期日下午见!

Then I'll see you on Sunday afternoon!

Alors à dimanche après-midi.

Tony
&Mary:
Hǎo, xīngqīrì jiàn!
好,星期日见!

OK, see you on Sunday!

D'accord. A dimanche.

[Words/Vocabulaire]

周末	zhōumò	weekend	week-end
事	shì	matter, affair, thing	chose, affaire
玩	wán	to play; have fun	s'amuser
太	tài	too	trop
星期天	xīngqītiān	Sunday	dimanche
下午	xiàwǔ	afternoon	après-midi
怎么样	zěnmeyàng	What/How about...?	comment
没问题	méi wèntí	That's OK! /No problem!	d'accord, pas de problème
喝茶	hē chá	drink tea	boire du thé
啊	a	*a particle expressing agreement*	une particule exprimant un accord
看看	kànkan	have a look	regarder, jeter un coup d'œil
茶馆	cháguǎn	teahouse	maison de thé
周	zhōu	week	semaine
行	xíng	OK; all right	OK, d'accord
展览	zhǎnlǎn	exhibition	exposition

Traditional Chinese Festivals/ Les fêtes Chinoises

Festival Fête	Time Date	Meaning Signification	Traditional customs Tradition et coutume
Chūnjié 春节 Spring Festival	Jan, 1st – Jan, 15th (lunar calendar)	the start of a new year, family reunion	eating dumplings, setting up fireworks, staying up late for new year
Nouvel an chinois	1ᵉʳ janvier-15 janvier (calendrier lunaire)	commencement du nouvel an, réunion de famille	manger des raviolis chinois, lancer les feux d'artifice, veiller pour le nouvel an
Duānwǔjié 端午节 The Dragon Boat Festival	May 5th (lunar calendar)	in honor of an ancient patriotic poet Qu Yuan	holding dragon-boat racing, eating zòngzi (rice dumplings wrapped in reed leaves)
Fête des Bateaux-Dragons	5 mai (calendrier lunaire)	en l'honneur d'un ancien poète patriotique Qu Yuan	organiser la course des bateaux-dragons, manger zongzi (ravioli de riz drapé de feuilles vertes)
Zhōngqiūjié 中秋节 Mid-Autumn Festival	Aug, 15th (lunar calendar)	harvest, family reunion	eating moon-cakes, lighting lanterns, appreciating the moon
Fête de la Lune	15 août (calendrier lunaire)	récolte, réunion de famille	manger des gâteaux de Lune, allumer des lanternes, apprécier la Lune

21.

Xiàwǔ yìdiǎn, Rénmín Gōngyuán ménkǒu jiàn.

下午1点，人民 公园 门口 见。

Let's meet at 1:00 pm at the gate of the People's Park.

On se voit à l'entrée du Parc du Peuple à 1h de l'après-midi.

[Sentences/Phrases]

Wǒmen xīngqīliù qù guàng Nánjīnglù ba.

我们 星期六 去 逛 南京路 吧。

Let's go to Nanjing Road this Saturday.

Si nous faisions une promenade dans la Rue Nanjing samedi ?

Xiàwú yì diǎn, Rénmín Gōngyuán ménkǒu jiàn.

下午1点，人民 公 园 门 口 见。

Let's meet at 1:00 pm at the gate of People's Park.

On se voit à l'entrée du Parc du Peuple à 1h de l'après-midi.

[Conversation/Dialogue]

（1）

Tony:
Mǎlì， xīngqīliù wǒmen qù guàng Nánjīnglù ba.
Mary，星期六 我们 去 逛 南京路 吧。

Mary, let's go to Nanjing Road this Saturday!

Mary, si nous faisions une promenade dans la Rue Nanjing samedi ?

Mary:
Hǎo ā. Jǐ diǎn? Zài shénme dìfang jiànmiàn ne?
好啊。几点？在什么地方见面呢？

OK. At what time and where shall we meet?

D'accord. On se voit où et à quelle heure ?

Tony:
Xiàwǔ yìdiǎn， Rénmín Gōngyuán ménkǒu jiàn， zěnmeyàng?
下午1点，人民 公园 门口见，怎么样？

How about meeting at the gate of People's Park at 1:00 pm?

On se voit à l'entrée du Parc du Peuple à 1h de l'après-midi. Ça vous convient ?

Mary:
Hǎo de. Xīngqīliù jiàn!
好的。星期六见！

OK. See you on Saturday!

Oui. Alors à samedi !

Tony:
Hǎo, bújiàn-búsàn.
好，不见不散。
Sure. See you there.
A plus !

(2)

Mary:
Tuōní, xīngqīrì nǐ yǒu shénme dǎsuan?
Tony, 星期日你有什么打算？
Tony, what are you going to do on Sunday?
Tony, qu'est-ce que vous comptez faire dimanche ?

Tony:
Wǒ xiǎng qù kàn diànyǐng, nǐ yǒu xìngqù ma?
我想去看电影，你有兴趣吗？
I want to go to the cinema. Are you interested?
J'irai au cinéma. Ça vous intéresse ?

Mary:
Hǎo ā, qù Dàguāngmíng Diànyǐngyuàn
好啊，去大光明电影院
zěnmeyàng? Nà shì Shànghǎi yǒumíng de lǎo
怎么样？那是上海有名的老
diànyǐngyuàn.
电影院。
Yes. What about the Grand Cinema?
It is a famous and historical cinema in Shanghai.
Oui. Qu'est-ce que vous diriez du Grand Cinéma ? C'est un célèbre cinéma historique de Shanghaï.

Tony:
Hǎo, míngtiān wǎnshang liù diǎn, wǒmen zài
好，明天晚上六点，我们在
bīnguǎn dàtáng jiàn ba.
宾馆大堂见吧。

Great! Let's meet at 6:00 pm tomorrow in the hotel lobby.

Super ! On se voit à 6h demain après-midi dans la salle d'attente de l'hôtel.

Hǎo, míngtiān jiàn!
Mary: 好，明天见！

OK, see you tomorrow!

OK. A demain !

[Words/Vocabulaire]

逛	guàng	to wander, to stroll	se promener
南京路	Nánjīnglù	Nanjing Road	Rue Nanjing
地方	dìfang	place	endroit
见面	jiànmiàn	to meet	se voir, se rencontrer
人民公园	Rénmín Gōngyuán	the People's Park	Parc du Peuple
门口	ménkǒu	gate	entrée
不见不散	bújiàn-búsàn	See you there.	A bientôt! ; A plus!
打算	dǎsuan	to plan	plan, projet
兴趣	xìngqù	interest	intérêt
电影院	diànyǐngyuàn	cinema, theater	cinéma
大光明电影院	Dàguāngmíng Diànyǐngyuàn	the Grand Cinema	Grand Cinéma
有名	yǒumíng	famous	célèbre, connu
老	lǎo	old, historical	ancien,nne, historique
大堂	dàtáng	hall, lobby	salle d'attente

Qǐngwèn, xǐshǒujiān zài nǎr ?

22. 请问，洗手间在哪儿?

Excuse me, where is the restroom?

Excusez-moi, où se trouvent les toilettes?

请问，洗手间在哪儿?

[Sentences/Phrases]

Qǐngwèn, xǐshǒujiān zài nǎr ?
请 问 , 洗手间 在 哪儿?

Excuse me, where is the restroom?

Excusez-moi, où se trouvent les toilettes ?

Xǐshǒujiān zài diàntī hòumiàn.
洗手间 在 电梯 后 面 。

The restroom is behind the elevator.

Les toilettes sont derrière l'ascenseur.

[Conversation/Dialogue]

（1）

Tony:
Qǐngwèn, xǐshǒujiān zài nǎr?
请问，洗手间在哪儿?

Excuse me, where is the restroom?

Excusez-moi, où se trouvent les toilettes ?

Receptionist:
Nán xǐshǒujiān zài èr lóu, nǚ xǐshǒujiān
男洗手间在二楼，女洗手间
zài sān lóu, dōu zài diàntī hòumiàn.
在三楼，都在电梯后面。

The men's restroom is on the second floor and the women's is on the third floor. They are both behind the elevator.

Réceptionniste: Les toilettes pour homme se trouvent au premier étage et celles pour femme sont au deuxième étage. Elles se trouvent toutes les deux derrière l'ascenseur.

Tony:
Xièxie!
谢谢!

Thank you!

Merci beaucoup !

Receptionist:
Bú kèqi.
不客气。

You are welcome.

Réceptionniste: De rien.

(2)

Mǎlì, nǐ zhǎo shénme?
Tony: Mary, 你 找 什么？

Mary, what are you looking for?

Mary, qu'est-ce que vous cherchez ?

Wǒ de bāo ne?
Mary: 我 的 包 呢？

Where is my bag?

Où se trouve mon sac ?

Nǐ de bāo zài zhuōzi xiàmiàn ne.
Tony: 你 的 包 在 桌子 下面 呢。

It's under the desk.

Il est sous la table.

Ò, duì, xièxie.
Mary: 哦，对，谢谢。

Oh, right. Thank you.

Ah, oui ! Merci !

[Words/Vocabulaire]

洗手间	xǐshǒujiān	restroom	toilettes
男	nán	man; men's	homme
楼	lóu	floor	étage
女	nǚ	woman; women's	femme
电梯	diàntī	elevator	ascenseur
后面	hòumiàn	behind	derrière
找	zhǎo	look for	chercher
包	bāo	bag	sac

| 桌子 | zhuōzi | desk | table |
| 下面 | xiàmiàn | under | en-dessous de |

Expressions for location/ Expressions pour les emplacements

上面 / 边	shàngmian/bian	above, on	sur, au-dessus de
下面 / 边	xiàmian/bian	under	au-dessous de
左面 / 边	zuǒmian/bian	left	gauche
右面 / 边	yòumian/bian	right	droite
前面 / 边	qiánmiàn/bian	front	devant
后面 / 边	hòumiàn/bian	back	derrière
东面 / 边	dōngmiàn/bian	east	est
西面 / 边	xīmiàn/bian	west	ouest
南面 / 边	nánmiàn/bian	south	sud
北面 / 边	běimiàn/bian	north	nord
桌子上面	zhuōzi shàngmiàn	on the desk	sur la table
椅子下面	yǐzi xiàmiàn	under the chair	en-dessous de la chaise
教室前面	jiàoshì qiánmiàn	in front of the classroom	devant la salle de classe
书店南边	shūdiàn nánbian	to the south of the bookstore	au sud de la librairie

Zhōngguó Yínháng zěnme zǒu?

23. 中国 银行 怎么 走？

How can I get to the Bank of China?

Comment puis-je aller à la Banque de Chine?

一直往前走，
到路口再右转。

请问，中国银行怎么走？

[Sentences/Phrases]

Zhōngguó Yínháng zěnme zǒu?
中 国 银 行 怎 么 走 ？

How can I get to the Bank of China?

Comment puis-je aller à la Banque de Chine ?

Qǐngwèn， fùjìn yǒu kāfēiguǎn ma?
请 问 ， 附 近 有 咖 啡 馆 吗 ？

Excuse me, are there any cafés nearby?

Excusez-moi, est-ce qu'il y a une cafétéria près
d'ici ?

[Conversation/Dialogue]

（1）

Tony:
Qǐngwèn， Zhōngguó Yínháng zěnme zǒu?
请问，中国银行怎么走?
Excuse me, how can I get to the Bank of China?
Excusez-moi, comment puis-je aller à la Banque de Chine ?

Passer-by:
Yìzhí wǎng qián zǒu， dào lùkǒu zài yòu zhuǎn.
一直往前走，到路口再右转。
Go straight ahead and turn right at the crossroad.

Passante:
Vous allez tout droit, puis tournez à droite au carrefour.

Tony:
Dì-yī gè lùkǒu yòu zhuǎn ma?
第一个路口右转吗?
Should I turn right at the first crossing?
Je tourne à droite au premier carrefour ?

Passer-by:
Shì de.
是的。
Yes.

Passante:
Oui.

Tony:
Xièxie!
谢谢!
Thank you.
Merci.

(2)

Mary:
Nǐ hǎo, qǐngwèn, fùjìn yǒu kāfēiguǎnr ma?
你好，请问，附近有咖啡馆儿吗？

Excuse me, are there any cafés nearby?

Excusez-moi, est-ce qu'il y a une cafétéria près d'ici ?

Passer-by:
Yǒu yì jiā Xīngbākè.
有一家星巴克。

There is a Starbucks.

Passant: Il y a un Starbucks.

Mary:
Zěnme zǒu?
怎么走？

How can I get there?

Comment puis-je m'y rendre ?

Passer-by:
Qiánmiàn lùkǒu zuǒ zhuǎn, ránhòu yìzhí zǒu, dì-èr gè lùkǒu jiù dào le.
前面路口左转，然后一直走，第二个路口就到了。

Turn left at the first crossing, and then go straight until you reach the second crossing.

Passant: Tournez à gauche au carrefour là devant et ensuite allez tout droit jusqu'au la deuxième carrefour.

Mary:
Zhīdào le, xièxie nǐ!
知道了，谢谢你！

Got it. Thank you!

D'accord. Merci !

中国银行	Zhōngguó Yínháng	Bank of China	Banque de Chine
走	zǒu	to walk	aller
一直	yìzhí	straight	droit
往	wǎng	towards	vers
前	qián	forward	en avant
路口	lòkǒu	crossing	carrefour
再	zài	then	ensuite; puis
右	yòu	right	droite
转	zhuǎn	to turn	tourner
第	dì	*a prefix for ordinal numbers*	*un préfixe pour les nombres ordinaux*
个	gè	*a measure word*	*spécificatif*
附近	fùjìn	nearby	près d'ici
咖啡	kāfēi	coffee	café
咖啡馆儿	kāfēiguǎnr	café	cafétéria
星巴克	Xīngbākè	Starbucks	Starbucks
前面	qiánmiàn	in front; ahead	devant
左	zuǒ	left	gauche
然后	ránhòu	then	puis; ensuite

Hóngqiáo Jīchǎng lí zhèr hěn jìn.

24. 虹桥 机场 离这儿 很近。

Hongqiao Airport is near here.

L'aéroport Hongqiao est près d'ici.

坐出租车大约三刻钟。

从这儿到世博园区要多长时间？

[Sentences/Phrases]

Jīchǎng lí zhèr yuǎn ma?
机场 离这儿 远 吗？

Is the airport far from here?

L'aéroport est loin d'ici ?

Hóngqiáo Jīchǎng lí zhèr hěn jìn.
虹桥 机场 离这儿 很近。

Hongqiao Airport is near here.

L'aéroport Hongqiao est près d'ici.

[Conversation/Dialogue]

（1）

Qǐngwèn, jīchǎng lí zhèr yuǎn ma?
Tony: 请问，机场离这儿 远 吗？

Excuse me, is the airport far from here?

Excusez-moi, l'aéroport est-il près d'ici ?

Passer-by: Nǐ yào qù nǎ yí gè jīchǎng?
你要去哪一个机场？

Which airport do you want to go to?

Passante: A quel aéroport souhaitez-vous aller ?

Tony: Hóngqiáo Jīchǎng.
虹桥机场。

Hongqiao Airport.

L'aéroport Hongqiao.

Passer-by: Hóngqiáo Jīchǎng lí zhèr hěn jìn, zuò
虹桥机场离这儿很近，坐
chūzūchē èrshí fēnzhōng zuǒyòu kěyǐ dào.
出租车20分钟左右可以到。

Hongqiao Airport is near here. It takes 20 minutes or so by taxi to get there.

Passante: L'aéroport Hongqiao se trouve près d'ici. Il faut 20 minutes pour y arriver en taxi.

Tony: Nà Pǔdōng Guójì Jīchǎng ne?
那浦东国际机场呢？

How about Pudong International Airport?

Et l'aéroport international Pudong ?

Passer-by: Hěn yuǎn, xūyào yí gè bàn xiǎoshí.
很远，需要一个半小时。

It is far away. It takes one and a half hours to get there.

Passante: C'est très loin. Il faut une heure et demie pour y arriver.

(2)

Tony:
Cóng zhèr dào Shìbó-yuánqū yào duō cháng shíjiān?
从 这儿 到 世博园区 要 多 长 时间？

How long does it take from here to the Expo site?

Il faut combien de temps pour arriver au site de l'Exposition universelle en partant d'ici ?

Passer-by:
Zuò chūzūchē dàyuē sān kè zhōng
坐 出租车 大约 三 刻 钟。

It takes about 45 minutes by taxi.

Passante: Il faut 45 minutes en taxi.

Tony:
Zuò dìtiě ne?
坐 地铁 呢？

How about by subway?

Et en métro ?

Passer-by:
Bàn gè xiǎoshí zuǒyòu ba.
半 个 小时 左右 吧。

About half an hour.

Passante: A peu près une demi-heure.

Tony:
Xièxie!
谢谢！

Thank you!

Merci !

Passer-by: 不客气。
Bú kèqi.

You are welcome.

Passante: Je vous en prie.

[Words/Vocabulaire]

机场	jīchǎng	airport	aéroport
离	lí	from	de
远	yuǎn	far	loin
近	jìn	near	près
坐	zuò	to take; go by	prendre, en
出租车	chūzūchē	taxi	taxi
分钟	fēnzhōng	minute	minute
左右	zuǒyòu	about	environ, à peu près
虹桥机场	Hóngqiáo Jīchǎng	Hongqiao Airport	l'aéroport Hongqiao
浦东国际机场	Pǔdōng Guójì Jīchǎng	Pudong International Airport	l'aéroport international Pudong
从	cóng	from	de...
世博园区	Shìbóyuánqū	the Expo site	site de l'Exposition universelle n.m
多	duō	how	comment, combien
长	cháng	long	long,gue
时间	shíjiān	time	temps
刻	kè	quarter	quart
钟	zhōng	hour	heure
地铁	dìtiě	subway	métro

Dōngfāng Míngzhū Diànshìtǎ dào le .

25. 东方 明珠 电视塔 到 了。

This is the Oriental Pearl TV Tower.

Voici la Tour de la Perle d'Orient.

我去东方明珠电视塔。

[Sentences/Phrases]

Qǐngwèn nín qù nǎr ?
请 问 您 去 哪儿?

Excuse me, where do you want to go?

Excusez-moi, où allez-vous ?

Dōngfāng Míngzhū Diànshìtǎ dào le .
东 方 明 珠 电视塔 到 了。

Here we are at the Oriental Pearl TV Tower.

Voici la Tour de la Perle d'Orient.

[Conversation/Dialogue]

(1)

Nínhǎo , qǐngwèn , nínqù nǎr ?
Driver: 您 好, 请 问, 您去哪儿?

Hello, where do you want to go?

Chauffeur: Excusez-moi, où allez-vous ?

Tony: Wǒ qù Dōngfāng Míngzhū Diànshìtǎ.
我 去 东 方 明 珠 电视塔。

I want to go to the Oriental Pearl TV Tower.

Je vais à la Tour de la Perle d'Orient.

Driver: Hǎode. …… Xiānsheng，Dōngfāng
好的。······先 生，东 方
Míngzhū Diànshìtǎ dàole. Chēfèi shì wǔshí
明 珠 电视塔 到了。车费 是 5 0
kuài.
块。

Okay. … Sir, here we are at the Oriental Pearl TV Tower. The fare is 50 yuan.

Chauffeur: D'accord. … Monsieur, voici la Tour de la Perle d'Orient. Ça fait 50 yuan.

Tony: Gěi nǐ qián. Xièxie.
给你钱。谢谢。

Here is the money. Thank you.

Tenez. Merci beaucoup.

Driver: Bú kèqi，zàijiàn!
不客气，再见!

You are welcome. Bye!

Chauffeur: De rien. Au revoir.

(2)

Tony: Nǐhǎo，wǒ yào jiào yí liàng chūzūchē.
你好，我 要 叫 一辆 出租车。

Hello. I want to call a taxi.

Allô, je voudrais appeler un taxi.

Operator:
Xiànzài ma?
现在吗？
For right now?

Standardiste: Maintenant ?

Tony:
Bú shì， xiàwǔ liǎng diǎn．
不是，下午 两 点。
No. For two o'clock this afternoon.
Non, c'est pour 2 h de l'après-midi.

Operator:
Nín cóng nǎr qù nǎr ?
您 从 哪儿去哪儿？
From where to where?

Standardiste: D'où partez-vous et où allez-vous ?

Tony:
Cóng Hépíng Fàndiàn dào Shànghǎi Kējìguǎn．
从 和平饭店 到 上 海科技馆。
From the Peace Hotel to the
Shanghai Science and Technology
Museum.
De l'Hôtel de la Paix au Musée des
sciences et de la technologie.

Operator:
Nín de diànhuà shì duōshao?
您 的 电话 是 多少？
What's your phone number?

Standardiste: Quel est votre numéro de téléphone ?

Tony:
Wǒ de shǒujī hàomǎshì
我 的 手机 号码 是
yāo wǔ jiǔ èr yī líng qī ****．
1 5 9 2 1 0 7 ****。
My cell phone number is 1592107****.
Mon numéro de portable est
1592107****.

Operator:
Hǎo de, chē dàole wǒmen gěi nín diànhuà.
好的，车到了我们给您电话。
Okay. We will call you upon the taxi's arrival.

Standardiste: D'accord. Quand le taxi arrive, nous vous appellerons.

[Words/Vocabulaire]

东方明珠电视塔	Dōngfāng Míngzhū Diànshìtǎ	Oriental Pearl TV Tower	la Tour de la Perle d'Orient
车费	chēfèi	fare	tarif
辆	liàng	*a measure word for vehicles*	*spécificatif des véhicules*
不是	bú shì	no, not	non, pas
两	liǎng	two	deux
和平饭店	Hépíng Fàndiàn	Peace Hotel	Hôtel de la Paix
上海科技馆	Shànghǎi Kējìguǎn	Shanghai Science and Technology Museum	Musée des sciences et de la technologie

Major Taxi Companies in Shanghai/ Les principales entreprises de taxi à Shanghaï

Taxi company Compagnie de taxi	Number for reservation Numéro de réservation	The color of cars La couleur des voitures
大众 Dàzhòng	96822	sky blue bleu ciel
强生 Qiángshēng	6258000	orange orange
锦江 Jǐnjiāng	96961	white blanc
海博 Hǎibó	96965	sapphire blue bleu saphir

Qù Rénmín Guǎngchǎng zěnme zuò dìtiě ?
26. 去 人民 广场 怎么 坐 地铁?
How can I get to the People's
Square by subway?

Comment puis-je aller à la Place
du Peuple en métro?

地铁站在哪里？

就在前面路口。

[Sentences/Phrases]

Qù Rénmín Guǎngchǎng zěnme zuò dìtiě ?
去 人民 广 场 怎么 坐 地铁?

How can I get to the People's Square by subway?

Comment puis-je aller à la Place du Peuple en métro ?

Zài nǎli mǎi piào?
在 哪里 买 票？

Where do I buy a ticket?

Où puis-je acheter un billet ?

（1）

Tony:
Qǐngwèn, qù Rénmín Guǎngchǎng zěnme
请问，去人民广场怎么
zuò dìtiě?
坐地铁?

How can I get to the People's Square
by subway?

Excusez-moi, comment puis-je aller à
la Place du Peuple en métro ?

Staff:
Nǐ xiān zuò sì hào xiàn, dào Shànghǎi
你先坐4号线，到上海
Tǐyùguǎnzhàn huànchéng yī hào xiàn,
体育馆站换乘1号线，
ránhòu zài Rénmín Guǎngchǎngzhàn
然后在人民广场站
xià chē.
下车。

You take Metro Line 4 first, and get
off at Shanghai Stadium station. Then
transfer to Line 1 to the People's Square.

Employée:
Vous prenez d'abord la ligne 4 jusqu'à
la station du Stade de Shanghaï,
puis vous prenez la ligne 1 et vous
descendez à la sation de la Place du
Peuple.

Tony:
Zài nǎli mǎi piào?
在哪里买票?

Where can I buy a ticket?

Où puis-je acheter le billet ?

Staff:
Nǐ yǒu gōngjiāokǎ ma?
你有公交卡吗?
Do you have a public transportation card?

Employée: Avez-vous une carte de transport en commun ?

Tony:
Méiyǒu.
没有。
No.
Non.

Staff:
Nǐ kěyǐ zài qiánbian de zìdòng shòupiàojī shang mǎi piào.
你可以在前边的自动售票机上买票。
You can buy a ticket at the automatic ticket vendor in front of the station.

Employée: Vous pouvez l'acheter au distributeur automatique de billets là devant.

(2)

Tony:
Nǐ hǎo, qǐngwèn, zuò dìtiě kěyǐ dào Pǔdōng Guójì Jīchǎng ma?
你好,请问,坐地铁可以到浦东国际机场吗?
Excuse me, can I take the subway to Pudong International Airport?
Excusez-moi, est-ce que je peux me rendre à l'aéroport international de Pudong en métro ?

Passer-by:
Kěyǐ. Xiān zuò dìtiě èr hào xiàn dào Lóngyánglùzhàn, zài huànchéng cíxuánfú
可以。先坐地铁2号线到龙阳路站,再换乘磁悬浮

lièchē dào jīchǎng.
列车 到 机场。

Yes, you can. Take Metro line 2 to Longyang Road station and transfer to the Maglev to the airport.

Passante: Oui. Vous prenez d'abord la ligne 2, puis descendez à la station « Rue Longyang». Ensuite, vous prenez le train Maglev pour l'aéroport.

Tony:
Dìtiězhàn zài nǎli?
地铁站 在 哪里?

Where is the subway station?

Où se trouve la station de métro ?

Passer-by:
Jiù zài qiánmiàn lùkǒu.
就 在 前 面 路口。

Just at the crossing ahead.

Passante: Juste au carrefour devant vous.

Tony:
Xièxie.
谢谢。

Thank you.

Merci !

[Words/Vocabulaire]

人民广场	Rénmín Guǎngchǎng	the People's Square	Place du Peuple
先	xiān	first, firstly	d'abord
线	xiàn	line	ligne
上海体育馆	Shànghǎi Tǐyùguǎn	Shanghai Stadium	Stade de Shanghaï

站	zhàn	station	station
换乘	huànchéng	to transfer	transférer; changer
下车	xià chē	get off	descendre
买票	mǎi piào	buy a ticket	acheter un billet
公交卡	gōngjiāokǎ	public transportation card	carte de transport en commun
没有	méiyǒu	not have	ne pas avoir
前边	qiānbian	front, fore	devant
自动售票机	zìdòng shòupiàojī	automatic ticket vendor	distributeur automatique de billets
龙阳路	Lóngyánglù	Longyang Road	Rue Longyang
磁悬浮列车	cíxuánfú lièchē	maglev train	train maglev

Qù Yùyuán zuò jǐ lù gōngjiāochē?

27. 去 豫园 坐 几路 公交 车?

By which bus can I get to Yuyuan Garden?

Quel autobus dois-je prendre pour aller au Jardin Yuyuan?

[Sentences/Phrases]

Qù Yùyuán zuò jǐ lù gōngjiāochē?
去 豫园 坐 几路 公 交 车?

Which bus can I take to get to Yuyuan Garden?

Quel autobus dois-je prendre pour aller au Jardin Yuyuan ?

Dào Yùyuánzhàn xià chē
到 豫园 站 下 车.

Get off at the Yuyuan Garden station.

Descendez à l'arrêt du Jardin Yuyuan.

[Conversation/Dialogue]

（1）

Tony:
Qù Yùyuán zuò jǐ lù gōngjiāochē?
去 豫园 坐几路公交车？

Which bus can I take to get to Yuyuan Garden?

Quel autobus dois-je prendre pour aller au Jardin Yuyuan ?

Hai:
Nǐ kěyǐ zuò liùshísì lù.
你可以坐 6 4 路。

You can take Bus No. 64.

Vous pouvez prendre le bus No.64

Tony:
Wǒ zài nǎr xià chē ne?
我 在哪儿下 车呢？

Where shall I get off?

Où dois-je descendre ?

Hai:
Dào Yùyuánzhàn xià chē, yào zuò liù zhàn,
到 豫园站下 车，要坐 6 站，
dàyuē èrshíwǔ fēnzhōng jiù dào le.
大约 2 5 分钟就到了。

Get off at the Yuyuan Garden station. There are 6 stops to pass. It will take you about 25 minutes.

Descendez à l'arrêt du Jardin Yuyuan. Il y a 6 arrêts au total. Il vous faut environ 25 minutes.

（2）

Tony:
Zhāng Hǎi, zài Shànghǎi zuò gōnggòng
张　海，在　上　海　坐　公　共
qìchē, zěnme mǎi piào?
汽车，怎么买票？

Zhang Hai, how should I pay the fare when taking buses in Shanghai?

Zhang Hai, comment puis-je acheter un billet pour prendre le bus à Shanghaï ?

Hai:
Nǐ kěyǐ tóu bì, yě kěyǐ yòng gōngjiāokǎ.
你可以投币，也可以用　公交卡。

You can either pay with coins, or by swiping a public transportation card.

Soit vous insérez des pièces de monnaie, soit vous utilisez la carte de transport en commun.

Tony:
Gōngjiāokǎ fāngbiàn ma?
公交卡方便吗？

Is the transportation card convenient?

Est-ce que la carte est pratique ?

Hai:
Gōngjiāokǎ hěn fāngbiàn, zuò dìtiě, zuò
公交卡很方便，坐地铁、坐
gōnggòng qìchē hé chūzūchē dōu kěyǐ yòng.
公　共　汽车和出租车都可以用。

It's very convenient. You can use it to take the metro, buses and taxis.

Oui, c'est pratique. Vous pouvez l'utiliser dans le métro, le bus et le taxi.

Tony: Nǎr kěyǐ mǎi gōngjiāokǎ?
哪儿可以买 公交卡？

Where can I buy the card?

Où puis-je acheter cette carte ?

Hai: Zài hěnduō dà de dìtiězhàn dōu kěyǐ mǎi.
在 很 多 大 的 地铁站 都 可以 买。

They are sold at many big subway stations.

Vous pouvez l'acheter dans plusieurs grandes stations de métro.

[Words/Vocabulaire]

豫园	Yùyuán	Yuyuan Garden	Jardin Yuyuan
公共汽车	gōnggòng qìchē	(public) bus	autobus
投币	tóu bì	insert coins	insérer des pièces de monnaie
用	yòng	to use	utiliser
方便	fāngbiàn	convenient	pratique
和	hé	and	et

Duōshao qián yí gè?
28. 多少 钱 一 个?
How much does one cost?

Combien coûte la pièce ?

我想买上海世博会的吉祥物。

欢迎光临。
您想买什么?

[Sentences/Phrases]

Nín xiǎng mǎi shénme?
您 想 买 什 么?

What do you want to buy?

Que désirez-vous ?

Duōshao qián yí gè?
多 少 钱 一 个?

How much does one cost?

Combien coûte la pièce ?

[Conversation/Dialogue]

（1）

Shop assistant:
Huānyíng guānglín. Nín xiǎng mǎi shénme?
欢迎光临。您想买什么？

Welcome! What do you want to buy?

Vendeuse:
Bienvenue ! Que désirez-vous ?

Tony:
Wǒ xiǎng mǎi Shànghǎi Shìbóhuì de jíxiángwù.
我想买上海世博会的吉祥物。

I want to buy the mascot toy of Expo Shanghai.

Je voudrais acheter une mascotte de l'Exposition universelle de Shanghaï.

Shop assistant:
Ò, 'Hǎibǎo'. Nín kàn, zài zhèr, yǒu xiǎohào de, zhōnghào de, dàhào de.
哦，"海宝"。您看，在这儿，有小号的，中号的，大号的。

Oh, Haibao. Look, they are here. There are small, medium and large sized ones.

Vendeuse:
Ah, Haibao. Regardez par ici. Nous avons des Haibao de petite, moyenne et grande taille.

Tony:

Hěn kě'ài. Duōshao qián yí gè?
很可爱。多少钱一个?

They are so lovely. How much does one cost?

C'est mignon ! Combien coûte la pièce ?

Shop assistant:

Xiǎohào de sānshíwǔ yuán, zhōnghào de wǔshí yuán, dàhào de liùshíwǔ yuán.
小号的 3 5 元，中号的 5 0 元，大号的 6 5 元。

The small one costs 35 yuan, the medium one 50 yuan and the large one 65 yuan.

Vendeuse:

La plus petite coûte 35 yuan, la moyenne 50 yuan et la plus grande 65 yuan .

(2)
Tony:

Wǒ mǎi liǎng gè xiǎohào de, liǎng gè zhōnghào de hé yí gè dàhào de 'Hǎibǎo'.
我买两个小号的、两个中号的和一个大号的"海宝"。

I want two small-sized Haibaos, two middle-sized ones and a large-sized one.

Je voudrais deux Haibao de petite taille, deux de taille moyenne et un de grande taille.

Shop assistant:
Hǎo, yígòng èrbǎi sānshíwǔ yuán.
好，一共 2 3 5 元。
Nín hái xūyào biéde ma?
您还需要别的吗?

OK, 235 yuan altogether. Do you need anything else?

Vendeuse:
D'accord. Ça fait 235 yuan au total. Vous désirez autre chose ?

Tony:
Bú yòng le. Gěi nǐ qián.
不用了。给你钱。

No, thanks. Here is the money.

Non, merci. Tenez.

Shop assistant:
Shōu nín èrbǎi wǔshí yuán, zhǎo nín shíwǔ yuán.
收 您 2 5 0 元，找 您 1 5 元。

You gave us 250 yuan. Here's your 15 yuan change.

Vendeuse:
J'ai reçu 250 yuan. Voilà votre monnaie de 15 yuan.

Tony:
Xièxie, zàijiàn!
谢谢，再见!

Thanks. Bye!

Merci ! Au revoir !

Shop assistant:
Huānyíng nín zài lái!
欢迎您再来!

Please come again.

Vendeuse:
N'hésitez pas à revenir !

[Words/Vocabulaire]

售货员	shòuhuòyuán	shop assistant	vendeur
吉祥物	jíxiángwù	mascot	mascotte
小号	xiǎohào	small size	petite taille
中号	zhōnghào	medium size	taille moyenne
大号	dàhào	large size	grande taille
可爱	kě'ài	lovely	mignon,ne
一共	yígòng	altogether	au total
别的	bié de	other/anything else	autre chose
收	shōu	to receive	recevoir
找	zhǎo	give a change	rendre la monnaie

Wǒ kěyǐ shì chuān ma?
29. 我可以试穿吗?
Can I try it on?
Je peux essayer?

这件T恤真漂亮，
我可以试穿吗？

当然可以。您要多
大的？

[Sentences/Phrases]

Wǒ kěyǐ shì chuānma?
我可以试穿吗？

Can I try it on?

Je peux essayer ?

Nín yào duōdà de?
您要多大的？

Which size do you want?

Quelle taille faites-vous ?

[Conversation/Dialogue]

（1）

Shop assisstant:
Nín hǎo, xiǎojiě! Nín xiǎng mǎi shénme?
您好，小姐！您想买什么？

Hello Miss, what can I do for you?

Vendeur:
Bonjour, Mademoiselle, je peux vous aider ?

Mary:
Zhè jiàn T-xù zhēn piàoliang, wǒ kěyǐ shì chuān ma?
这件T恤真漂亮，我可以试穿吗？

This T-shirt is so pretty. Can I try it on?

Ce T-shirt est joli. Je peux l'essayer ?

Shop assisstant:
Dāngrán kěyǐ. Nín yào duō dà de?
当然可以。您要多大的？

Sure. What size do you want?

Vendeur:
Bien sûr. Quelle taille faites-vous ?

Mary:
Zhōnghào de.
中号的。

Medium.

Une taille moyenne.

Shop assisstant:
Nín yào shénme yánsè?
您要什么颜色？

116

	What color do you want?
Vendeur:	Quelle couleur désirez-vous ?

Mary:
Báisè de.
白色 的。
White.
Blanc.

Shop assisstant:
Hǎo, qǐng shāo děng.
好, 请 稍 等。
OK, please wait a moment.

Vendeur: D'accord. Un instant, s'il vous plaît.

（2）

Shop assisstant:
Gěi, zhè shì zhōnghào de.
给, 这是 中 号 的。
Shìyījiān zài qiánmian.
试衣间在 前 面。

Here you are. This is the middle-sized one. The fitting room is in the front.

Vendeur: Tenez, c'est la taille moyenne. La cabine d'essayage est là-devant.

Mary:
Ng̀, hěn piàoliang. Qǐngwèn,
嗯, 很 漂 亮。 请 问,
nǐmen hái yǒu bié de yánsè ma?
你们 还 有 别 的 颜色 吗?

Oh, it's very pretty. Excuse me, do you have other colors?

Euh, c'est vraiment joli. Excusez-moi, vous avez d'autres couleurs ?

	Hái yǒu hóngsè de hé hēisè de .
Shop assisstant:	还有红色的和黑色的。
	Yes, we also have red and black.
Vendeur:	Oui, nous l'avons en rouge et en noir.

	Hǎo, wǒ mǎi liǎng jiàn zhōnghào de
Mary:	好，我买两件中号的
	T-xù, yí jiàn báisè, yí jiàn hóngsè.
	T恤，一件白色、一件红色。
	OK. I will buy two middle-sized
	T-shirts, one white and one red.
	Bon, je prends deux T-shirts de taille
	moyenne, un blanc et un rouge.

[Words/Vocabulaire]

小姐	xiǎojiě	miss	mademoiselle
件	jiàn	*a measure word for clothes*	*spécificatif d'un des vêtements*
T恤	T-xù	T-shirt	T-shirt
真	zhēn	really	vraiment
漂亮	piàoliang	beautiful	joli,e
试穿	shì chuān	try on	essayer
颜色	yánsè	color	couleur
白色	báisè	white	blanc/che
试衣间	shìyījiān	fitting room	cabine d'essayage
嗯	ng̀	*indicating an agreement*	*indique un accord*
还有	hái yǒu	besides	en plus de
红色	hóngsè	red	rouge
黑色	hēisè	black	noir,e

Piányi yìdiǎnr ba?

30. 便宜 一点儿 吧?

Could it be cheaper?

Peut-on baisser le prix?

[Sentences/Phrases]

Zhèxiē píngguǒ zěnme mài?
这些 苹果 怎么 卖?

What is the price of these apples?

Quel est le prix de ces pommes ?

Tài guì le, piányi yìdiǎnr ba!
太贵了, 便宜一点儿吧!

It's too expensive. Could it be cheaper?

C'est trop cher. Peut-on baisser le prix ?

[Conversation/Dialogue]

(1)

Mary:

Zhèxiē píngguǒ zěnme mài?
这些 苹果 怎么 卖？

What is the price of these apples?

Quel est le prix de ces pommes ?

Shop assisstant:

Sì kuài qián yì jīn.
四块 钱一斤。

Four yuan per *jin*.

Vendeur:

4 yuan la livre.

Mary:

Sì kuài qián? Tài guì le, piányi
四块 钱？太贵了，便宜
yìdiǎnr ba!
一点儿 吧！

Four yuan? That is too expensive.

Could it be cheaper?

4 yuan ? Ça coûte trop cher !

Peut-on baisser le prix ?

Shop assistant:

Nín kàn, wǒmen de píngguǒ hěn
您看，我们的苹果很
xīnxiān ā, yòu dà yòu tián.
新鲜啊，又大又甜。

Look, our apples are very fresh,

big and sweet.

Vendeur:

Regardez, les pommes sont
fraîches, grosses et sucrées.

Mary:

Kěshì tài guì le.
可是太贵了。

But they are too expensive.

Mais ça coûte trop cher.

(2)

Shop assisstant:
Nǐ xiǎng mǎi duōshao?
你 想 买 多少？

How many do you want?

Vendeur: Vous en voulez combien ?

Mary:
Wǒ yào mǎi hěn duō, suǒyǐ piányi
我 要 买 很 多，所以 便宜
diǎnr ba
点 儿 吧。

I want to buy lots, so give me a
lower price, OK?

J'en veux beaucoup. Faites-moi
donc une faveur, d'accord ?

Shop assisstant:
Sān kuài bā yì jīn zěnmeyàng?
三 块 八 一 斤 怎 么 样？

How about 3.8 yuan per *jin*?

Vendeur: Alors 3,8 yuan la livre ?

Mary:
Sān kuài wǔ yì jīn, wǒ mǎi sì jīn.
三 块 五 一 斤，我 买 四 斤。

If it's 3.5 yuan per *jin*, I will buy
four *jin*.

Si ça fait 3,5 la livre, j'en veux
quatre livres.

Shop assisstant:
Hǎo.
好。

Deal.

Vendeur: Entendu !

这些	zhèxiē	these	ces
苹果	píngguǒ	apple	pomme
卖	mài	to sell	vendre
斤	jīn	a unit, 1 *jin* = 1/2 kilogram	livre
贵	guì	expensive	cher,ère
便宜	piányi	cheap	moins cher, bon marché
新鲜	xīnxiān	fresh	frais, fraîche
又	yòu	both… and…	à la fois...et
甜	tián	sweet	sucré,e
可是	kěshì	but	mais

Wǒ yào yì bēi kāfēi .
31. 我 要 一杯 咖啡。
I'd like a cup of coffee.

Je voudrais une tasse de café.

我要一杯咖啡。

[Sentences/Phrases]

Nín xiǎng hē diǎnr shénme?
您 想 喝点儿 什么 ?

What would you like to drink?

Qu'est-ce que vous voulez boire ?

Wǒ yào yì bēi kāfēi .
我 要 一杯 咖啡。

I'd like a cup of coffee.

Je voudrais une tasse de café.

[Conversation/Dialogue]

(1)

Nín xiǎng hē diǎnr shénme?

Waiter: 您 想 喝点儿什么？

What would you like to drink?

Serveur: Qu'est-ce que vous voulez boire ?

Wǒ yào yì bēi kāfēi .

Mary: 我 要一杯咖啡。

I'd like a cup of coffee.

Je voudrais une tasse de café.

Yào rè de háishì bīng de?

Waiter: 要热的还是 冰 的？

Hot coffee or iced coffee?

Serveur: Un café chaud ou un café glacé ?

Bīng kāfēi .

Mary: 冰 咖啡。

Iced coffee.

Un café glacé, s'il vous plaît.

Hǎo de , qǐng shāo děng .

Waiter: 好 的, 请 稍 等 。

OK, please wait a moment.

Serveur: D'accord. Un instant, s'il vous plaît.

(2)

Wǎnshang hǎo , huānyíng guānglín!

Waitress: 晚 上 好， 欢 迎 光 临 !

Good evening, welcome!

Serveuse: Bonsoir, bienvenue !

124

Tony:	Xiǎojiě, qǐng gěiwǒ yì bēi píjiǔ.
	小姐，请给我一杯啤酒。
	Miss, please give me a glass of beer.
	Mademoiselle, donnez-moi un verre
	de bière, s'il vous plaît.

Waitress:	Nín yào shénme píjiǔ?
	您要什么啤酒？
	What beer do you want?
Serveuse:	Quelle sorte de bière voulez vous ?

Tony:	Nǐmen yǒu Qīngdǎo Píjiǔ ma?
	你们有青岛啤酒吗？
	Do you have Tsingdao Beer?
	Vous avez de la Tsingdao ?

Waitress:	Yǒu.
	有。
	Yes.
Serveuse:	Oui.

Tony:	Lái yì bēi Qīngdǎo Píjiǔ.
	来一杯青岛啤酒。
	Give me a glass of Tsingdao Beer.
	Donnez-moi un verre de bière
	Tsingdao.

[Words/Vocabulaire]

喝	hē	to drink	boire
杯	bēi	glass	tasse; verre
热	rè	hot	chaud,e
冰	bīng	ice	glacé,e

啤酒	píjiǔ	beer	bière
青岛	Qīngdǎo	Qingdao, or previously known as Tsingdao, a city in Shandong Province	Tsingdao, une ville de la province du Shandong

Some Beverage / Certaines boissons

可口可乐	Kěkǒukělè	Coca-Cola	Coca-Cola
百事可乐	Bǎishìkělè	Pepsi Cola	Pepsi Cola
咖啡	kāfēi	coffee	café
果汁	guǒzhī	juice	jus
红茶	hóngchá	black tea	thé noir
绿茶	lǜchá	green tea	thé vert
啤酒	píjiǔ	beer	bière
白酒	báijiǔ	spirits	alcool; eau-de-vie
葡萄酒	pútaojiǔ	wine	vin

Yǒu Yīngwén / Fǎwén càidān ma?
32. 有 英文 / 法文 菜单 吗?
Do you have an English/French menu?

Avez-vous un menu en anglais/français?

请问,有英文菜单吗?

[Sentences/Phrases]

Yǒu Yīngwén / Fǎwén càidān ma?
有 英 文 / 法文 菜单 吗?

Do you have an English/French menu?

Avez-vous un menu en anglais/français ?

Èr wèi chī diǎnr shénme?
二位 吃 点儿 什 么?

What would you like to eat?

Qu'est-ce que vous voulez prendre ?

127

(1)

Waiter:
Huānyíng guānglín! Qǐngwèn jǐ wèi?
欢 迎 光 临! 请 问 几 位?

Welcome! May I ask how many people you have?

Serveur: Bienvenue ! Combien êtes-vous ?

Tony:
Liǎng wèi.
两 位。

Two people.

Nous sommes deux.

Waiter:
Qǐng zhèbiān zuò. Xiànzài diǎn cài ma?
请 这 边 坐。现 在 点 菜 吗?

Please sit here. Do you need to order now?

Serveur: Asseyez-vous ici s'il vous plaît. Vous commandez maintenant ?

Tony:
Duì, xiànzài jiù diǎn cài, wǒmen è le.
对,现 在 就 点 菜,我 们 饿 了。

Yes, we will order food now. We are hungry.

Oui. Nous avons faim.

Mary:
Qǐngwèn, yǒu Yīngwén càidān ma?
请 问,有 英 文 菜 单 吗?

Excuse me, do you have an English menu?

Excusez-moi, avez-vous un menu en anglais ?

Waiter: Yǒu, qǐng shāo děng.
有，请 稍 等。

Yes, we have. A moment please.

Serveur: Oui, un instant, s'il vous plaît.

（2）

Waiter: Èr wèi chī diǎnr shénme?
二位 吃 点儿 什么？

What would you like to eat?

Serveur: Qu'est-ce que vous prendrez ?

Tony: Wǒmen yào gōngbǎojīdīng, yúxiāngròusī,
我们 要 宫保鸡丁，鱼香肉丝，
mápódòufu hé liǎng wǎn mǐfàn.
麻婆豆腐 和 两 碗 米饭。

We'd like Kung Pao Chicken, Fish-
Flavored Pork, Mapo Beancurd and two
bowls of rice.

Nous voudrions des dés de poulet pimenté
aux arachides, des émincés de porc à la
sauce piquante, un Mapo Toufu et deux
bols de riz.

Waiter: Hái yào bié de ma?
还 要 别 的 吗？

Do you need anything else?

Serveur: Vous désirez autre chose ?

Mary: Zài lái yí fèn shēngjiān bāozi.
再来一份 生 煎 包子。

One serving of fried stuffed buns please.

Une portion de petits pains frits et farcis
s'il vous plaît.

Waiter:
Yào hē diǎnr shénme ma?
要 喝 点 儿 什 么 吗?

What would you like to drink?

Serveur: Qu'est-ce que vous désirez comme boisson ?

Tony:
Yì píng píjiǔ .
一 瓶 啤 酒。

A bottle of beer.

Une bouteille de bière, s'il vous plaît.

[Words/Vocabulaire]

这边	zhèbian	this way/here	par ici / ici
点菜	diǎn cài	order food	commander les plats
饿	è	hungry	avoir faim
英文	Yīngwén	English	l'anglais
法文	Fǎwén	French	le français
菜单	càidān	menu	menu
宫保鸡丁	gōngbǎojīdīng	Kung Pao Chicken	dés de poulet pimenté aux arachides
鱼香肉丝	yúxiāngròusī	Fish-Flavored Pork	émincé de porc à la sauce piquante
麻婆豆腐	mápódòufu	Mapo Beancurd	Mapo Toufu
碗	wǎn	bowl	bol
米饭	mǐfàn	rice	riz
生煎包子	shēngjiān bāozi	fried stuffed bun	petit pain frit et farci
瓶	píng	bottle, *a measure word*	bouteille

Zhèxiē cài zhēn hǎochī.
33. 这些 菜 真 好吃。
These dishes are really delicious.
Ces plats sont délicieux.

我喜欢吃中国菜。

[Sentences/Phrases]

Zhèxiē cài zhēn hǎo chī
这些 菜 真 好吃!

These dishes are really delicious!

Ces plats sont délicieux !

Wǒ xǐhuan chī Zhōngguócài!
我 喜欢 吃 中 国 菜!

I like Chinese food!

J'aime la cuisine chinoise.

[Conversation/Dialogue]

(1)

Mary:
Tuōní, zhèxiē cài zhēn hǎo chī! Duō chī diǎnr.
Tony, 这些菜真好吃! 多吃点儿。

Tony, these dishes are really delicious.
Have more!

Tony, ces plats sont vraiment délicieux.
Prenez-en encore !

Tony:
Shì ā, wèidào hǎojí le!
是啊, 味道好极了!

Indeed. They taste really great.

Oui. C'est vraiment bon.

Mary:
Chángcháng zhège yú, tā shì zhè jiā fàndiàn
尝 尝 这个鱼, 它是这家饭店
de tèsè cài.
的特色菜。

Try this fish. It's the restaurant's special
dish.

Dégustez ce poisson. C'est la spécialité
du restaurant.

Tony:
Zhēn xiāng, tài hǎo chī le!
真 香, 太好吃了!

It's so flavorful and delicious!

Ça sent bon et c'est vraiment excellent.

(2)

Bao:
Nǐmen juéde Zhōngguócài zěnmeyàng?
你们觉得中国菜怎么样?

How do you feel about Chinese food?

Comment trouvez-vous la cuisine chinoise ?

Tony： Hěn hào chī, wǒ xǐhuan chī Zhōngguócài.
很 好 吃，我 喜欢 吃 中 国 菜。

It is very delicious. I like Chinese food.

Délicieuse. J'aime beaucoup la nourriture chinoise.

Mary： Wǒ tèbié xǐhuan Shànghǎi de xiǎolóngbāo.
我 特别 喜欢 上 海 的 小 笼 包。

I especially love Shanghai's small steamed buns.

J'aime surtout les Xiaolongbao de shanghaï.

Bao： Ò, xiǎolóngbāo shì yǒumíng de Shànghǎi
哦，小 笼 包 是 有名 的 上 海
diǎnxin. Zhège zhōumò wǒmen qù Yùyuán chī
点心。这个 周末 我们 去 豫园 吃
xiǎolóngbāo, zěnmeyàng?
小 笼 包，怎么样？

Oh, small steamed buns are a famous Shanghai snack. This weekend, let's go to Yuyuan Garden to have some, OK?

Xiaolongbao est un goûter très célèbre à Shanghaï. Ce week-end nous allons au Jardin Yuyuan pour en prendre quelques-uns, ça vous va ?

Tony： Zhēnde ma? Tài hǎo le !
真 的 吗？ 太 好 了！

Really? Great.

C'est vrai ? Super !

[Words/Vocabulaire];

菜	cài	dish	cuisine; plat
好吃	hǎo chī	delicious	délicieux,se; bon,ne
味道	wèidào	taste	goût
好极了	hǎojí le	great; wonderful	super; génial
尝	cháng	have a taste	goûter à; déguster
这个	zhège	this one	celui-ci; celle-ci
特色	tèsè	feature	spécialité
觉得	juéde	feel about	trouver
中国菜	Zhōngguócài	Chinese dish	cuisine chinoise
特别	tèbié	special	spécial,e
小笼包	xiǎolóngbāo	xiaolongbao, small steamed bun	xiaolongbao, petit pain farci cuit à la vapeur
点心	diǎnxin	snack	goûter

Fúwùyuán, mǎidān.

34. 服务员，买单。

Waiter, bill.

Monsieur, l'addition, s'il vous plaît.

服务员，买单！

[Sentences/Phrases]

Fúwùyuán, mǎidān!
服务员，买单！

Waiter, bill!

Monsieur, l'addition, s'il vous plaît.

Nín shuā kǎ háishì fù xiànjīn?
您刷卡还是付现金？

Will you pay by credit card or by cash?

Vous payez par carte de crédit ou en espèces ?

[Conversation/Dialogue]

（1）

Fúwùyuán, mǎidān!
Bao: 服务员，买单！

Waiter, bill!

Monsieur, l'addition s'il vous plaît.

Xiǎojiě, yígòng yìbǎi sānshíbā yuán. Zhèshì

Waiter: 小姐，一共 1 3 8 元。这是
qīngdān.
清单。

Miss, it's 138 yuan altogether. This is the bill.

Serveur: Mademoiselle, ça fait 138 yuan au total.

Voici la note.

Wǒ kàn yíxià, hǎode.

Bao: 我看一下，好的。

Let me have a look. OK.

Je vérifie. D'accord.

Nín shuā kǎ háishì fù xiànjīn?

Waiter: 您刷卡还是付现金？

Will you pay by credit card or by cash?

Serveur: Vous payez par carte de crédit ou en espèces ?

Wǒ shuā kǎ.

Bao: 我刷卡。

By credit card.

Par carte de crédit.

（2）   Zěnmeyàng, hǎo chī ma?
Bao: 怎么样，好吃吗？

How about these dishes? Are they tasty?

Comment trouvez-vous les plats ? C'est bon ?

Fēicháng hǎo chī, wǒmen dōu chībǎo le.

Mary: 非常好吃，我们都吃饱了。

Very delicious. We are all full.

Vraiment délicieux. Nous sommes repus.

Bao: Jīntiān wǒ qǐngkè.
今天我请客。

Let me treat you today.

Je vous invite aujourd'hui.

Tony: Ò, xièxie nǐ, xià cì wǒ qǐng nǐ chī xīcān.
哦，谢谢你，下次我 请你吃 西餐。

Oh, thank you. I'll treat you to Western food next time.

Oh, merci ! Nous vous inviterons la prochaine fois dans un restaurant occidental.

Bao: Méi guānxi, zài Zhōngguó nǐ shì kèrén,
没关系，在 中 国 你是 客人，
Zhōngguórén xǐhuan qǐng kèrén chīfàn.
中 国人喜欢 请 客人吃饭。

You are welcome. You are guests in China and Chinese people like to treat guests.

Je vous en prie. Vous êtes les invités, et les Chinois aiment inviter les hôtes.

[Words/Vocabulaire]

买单	mǎidān	pay the bill	l'addition
清单	qīngdān	list, bill	note, facture
刷卡	shuā kǎ	pay bill by credit card	payer par carte de crédit
现金	xiànjīn	cash	en espèces
下次	xià cì	next time	la prochaine fois
饱	bǎo	be full	repu(e)
请客	qǐngkè	treat sb	inviter qn.
客人	kèrén	guest	invité(e) / hôte
吃饭	chī fàn	have meals	manger

35. 为 世博会 干杯！

Cheers for Expo!

Buvons à la réussite de l'Expo !

为上海世博会干杯!

[Sentences/Phrases]

Wèi wǒmen de yǒuyì gānbēi!
为 我们的友谊干杯！

Let's drink to our friendship!

A notre amitié !

Zhù Shànghǎi Shìbóhuì yuánmǎn chénggōng!
祝 上海世博会圆满 成 功！

Wishing Expo Shanghai great success!

Nous souhaitons un grand succès à l'Expo de
Shanghaï.

（1）

Bao：
Jīntiān zhēn gāoxìng， huānyíng Tuōní
今天真高兴，欢迎 Tony
hé Mǎlì láidào Shànghǎi!
和 Mary 来到上海!

It is with great pleasure today that I welcome Tony and Mary to Shanghai.

Je suis vraiment très contente d'accueillir aujourd'hui Tony et Mary à Shanghaï.

Tony&Mary：
Xièxie! Wǒmen yě hěn gāoxìng!
谢谢! 我们也很高兴!

Thank you. We are also very happy.

Merci. Nous sommes également très heureux.

Bao：
Zhù nǐmen zài Zhōngguó lǚxíng yúkuài!
祝你们在中国旅行愉快!

I wish you a pleasant trip in China.

Je vous souhaite un bon voyage en Chine.

Tony：
Xièxie! Wèi wǒmen de yǒuyì gānbēi!
谢谢! 为我们的友谊干杯!

Thank you. Let's drink to our friendship!

Merci. Buvons à notre amitié !

Mary:
Wèi Shànghǎi Shìbóhuì gānbēi!
为 上 海 世博会 干杯!
Cheers for Expo Shanghai!
Buvons à la réussite de l'Expo de
Shanghaï !

Everyone:
Gānbēi!
干杯!
Cheers!

Tout le mode: Vidons notre verre !

(2)
Host:
Huānyíng dàjiā chūxí jīntiān de wǎnyàn.
欢 迎 大家 出席 今天 的 晚宴。
Welcome everyone to today's dinner
banquet.

Hôte: Bienvenue à tous qui assistez au banquet
d'aujourd'hui.

Guest:
Xièxie, wǒmen gǎndào fēicháng róngxìng!
谢谢，我们 感 到 非 常 荣 幸!
Thank you. We feel very honored!

Invité: Merci. Nous nous sentons très honorés !

Host:
Ràng wǒmen yìqǐ jǔ bēi, zhù Shànghǎi
让 我们 一起 举杯，祝 上 海
Shìbóhuì yuánmǎn chénggōng!
世博会 圆 满 成 功!
Let's drink a toast to the success of Expo
Shanghai!

Hôte: Portons un toast au succès de l'Expo de
Shanghaï !

140

Guest: <ruby>干杯<rt>Gānbēi!</rt></ruby>！<ruby>干杯<rt>Gānbēi!</rt></ruby>！

Cheers! Cheers!

Invité: Santé ! Santé !

[Words/Vocabulaire]

祝	zhù	to wish	souhaiter
旅行	lǚxíng	travel, trip	voyage
愉快	yúkuài	happy	heureux
为	wèi	for	pour
友谊	yǒuyì	friendship	amitié
干杯	gānbēi	cheers	porter un toast à
大家	dàjiā	everyone	tout le monde
主人	zhǔrén	host	l'hôte
出席	chūxí	to attend	participer (assister) à
晚宴	wǎnyàn	dinner, banquet	dîner, banquet
感到	gǎndào	feel	se sentir
荣幸	róngxìng	honor	honneur
让	ràng	let	laisser
一起	yìqǐ	together	ensemble
举杯	jǔ bēi	to toast	porter un toast
圆满	yuánmǎn	complete	complet
成功	chénggōng	success	succès

Shànghǎi yǒu nǎxiē hǎowánr de dìfang?

36. 上海 有哪些好玩儿的地方?

What are the places of interest in Shanghai?

Quels sont les endroits intéressants à Shanghaï ?

李宝,上海有哪些好玩的地方?

[Sentences/Phrases]

Shànghǎi yǒu nǎxiē hǎowánr de dìfang?
上 海 有 哪些 好玩儿 的 地方?

What are the places of interest in Shanghai?

Quels sont les endroits intéressants à Shanghaï ?

Gǔ zhèn hěn yǒu yìsi !
古 镇 很 有 意思!

An ancient town is very interesting.

Les bourgs anciens sont très intéressants !

[Conversation/Dialogue]

(1)

Tony:
Lǐ Bǎo, Shànghǎi yǒu nǎxiē hǎowánr de dìfang?
李宝，上海有哪些好玩儿的地方？

Li Bao, what are the places of interest in Shanghai?

Li Bao, quels sont les endroits intéressants à Shanghaï ?

Bao:
Yǒu hěn duō, Wàitān, Dōngfāng Míngzhū,
有很多，外滩、东方明珠、
Chénghuángmiào, Shànghǎi Bówùguǎn,
城隍庙、上海博物馆、
Dōngfāng Lùzhōu...
东方绿舟……

There are many, such as the Bund, the Orient Pearl TV Tower, Town God's Temple, Shanghai Museum, Oriental Oasis....

Il y en a beaucoup. Par exemple, le Bund, la Tour de la perle d'Orient, le temple du Génie protecteur de la ville, le musée de Shanghaï, l'Oasis orientale, etc.

Tony:
Zhèxiē dìfang wǒ dōu qùguò le. Hái yǒu shénme hǎowánr de?
这些地方我都去过了。还有什么好玩儿的？

I have been to those places already. Are there any other fun places?

J'ai déjà vu tous ces endroits. Est-ce qu'il y a d'autres choix intéressants ?

Bao:
Zhūjiājiǎo, tā shì Zhōngguó yǒumíng de
朱家角，它是中国有名的
gǔ zhèn.
古镇。

You can go to Zhujiajiao. It's a famous
ancient town in China.

Tu peux aller voir Zhujiajiao, c'est un
bourg ancien très célèbre en Chine.

Tony:
Gǔ zhèn hěn yǒu yìsi！ Wǒ zhōumò qù nàr
古镇很有意思！我周末去那儿
wánr.
玩儿。

An ancient town is very interesting! I will
go there this weekend.

Un bourg ancien, c'est très intéressant.
J'irai ce week-end.

（2）

Tony:
Mǎlì, nǐ zhīdào Shànghǎi de 'Xīntiāndì'
Mary，你知道上海的"新天地"
ma?
吗？

Mary, do you know Xintiandi in
Shanghai?

Mary, est-ce que tu connais Xintiandi ?

Mary:
Dāngrán zhīdào, nà shì Shànghǎi de lǎo
当然知道，那是上海的老
fángzi, jiào shíkùmén, kěshì lǐmiàn dōushì
房子，叫石库门，可是里面都是
xiàndài jiǔbā.
现代酒吧。

Of course I know. It is made up of
Shanghai's traditional houses which are

called Shikumen, but inside they are all modern bars.

Bien sûr que je le connais, ce sont des maisons traditionnelles du vieux Shanghaï, que l'on appelle «Shikumen». Mais à l'intérieur, il n'y a que des bars modernes.

Tony:
Shì ā , wǒ hěn xǐhuan nàr .
是啊，我很喜欢那儿。

Right. I like it very much.

Exactement, j'aime beaucoup Xintiandi.

Mary:
Wǒ yě shì , wǒ juéde 'Xīntiāndì' hěn yǒu yìsi .
我也是，我觉得"新天地"很有意思。

Me too. I think Xintiandi is very interesting.

Moi aussi, je le trouve passionnant.

[Words/Vocabulaire]

哪些	nǎxiē	what	quels/quelles
好玩儿	hǎowánr	fun	amusant, intéressant
外滩	Wàitān	the Bund	le Bund
城隍庙	Chénghuángmiào	Town God's Temple	le temple du Génie protecteur de la ville
博物馆	bówùguǎn	museum	musée
东方绿舟	Dōngfāng Lùzhōu	Oriental Oasis	l'Oasis orientale

过	guò	have done	avoir déjà fait
朱家角	Zhūjiājiǎo	Zhujiajiao	Zhujiajiao
它	tā	it	il
古镇	gǔ zhèn	ancient town	bourg ancien
一定	yídìng	must be	sûrement
那儿	nàr	there	là-bas
有意思	yǒu yìsi	interesting	intéressant,e
新天地	Xīntiāndì	Xintiandi	Xintiandi
里面	lǐmiàn	inside	à l'intérieur
都是	dōu shì	all	tous/toutes
现代	xiàndài	modern	moderne
酒吧	jiǔbā	bar	bar

Nǐ xiǎng qù nǎr wánr ?
37. 你 想 去 哪儿 玩儿?
Where do you want to visit?

Que souhaites-tu aller voir ?

你想去哪儿玩?

▋ [Sentences/Phrases]

Shànghǎi de fùjìn yǒu nǎxiē lǚyóu chéngshì?
上 海 的 附近 有 哪些 旅游 城 市 ?

Which tourist cities are close to Shanghai?

Quelles sont les villes touristiques aux alentours de
Shanghaï ?

Nǐ xiǎng qù nǎr wánr ?
你 想 去 哪儿 玩儿?

Where do you want to visit?

Que souhaites-tu aller voir ?

[Conversation/Dialogue]

(1)

Tony:

Lǐ bǎo，Shànghǎi de fùjìn yǒu nǎxiē lǚyóu
李宝，上海的附近有哪些旅游
chéngshì?
城市？

Li Bao, which tourist cities are close to
Shanghai?

Li Bao, quelles sont les villes touristiques
aux alentours de Shanghaï ?

Bao:

Hángzhōu hé Sūzhōu dōu hěn búcuò.
杭州和苏州都很不错。

Hangzhou and Suzhou are good places to
go.

Hangzhou et Suzhou, ce sont tous de
bons choix.

Tony:

Hǎowánr ma?
好玩儿吗？

Are they fun?

Ces deux villes sont intéressantes ?

Bao:

Hángzhōu yǒu yí gè yǒumíng de hú，jiào Xīhú；
杭州有一个有名的湖，叫西湖；
Sūzhōu yǒu hěn duō piàoliang de gǔdài yuánlín.
苏州有很多漂亮的古代园林。

Hangzhou has a famous lake called West
Lake, and Suzhou has many beautiful
ancient gardens.

Il y a un lac célèbre à Hangzhou, qui
s'appelle le lac de l'Ouest. A Suzhou, il

y a beaucoup de jolis jardins construits à l'époque ancienne.

Tony:
Hǎo， yǒu kōng wǒ qù kànkan.
好，有 空 我 去 看看。

OK, I'll go there when I'm free.

Bon, j'y irai quand j'aurais du temps libre.

（2）

Tony:
Mǎlì ， wǒ xiǎng qù Zhōngguó bié de dìfang kànkan.
Mary，我 想 去 中 国 别 的 地方 看看。

Mary, I want to visit some other places in China.

Mary, je voudrais aller voir d'autres endroits de la Chine.

Mary:
Nǐ xiǎng qù nǎr wánr?
你 想 去哪儿玩儿？

Where do you want to go?

Tu veux aller où ?

Tony:
Wǒ xiǎng qù Zhōngguó de běifāng.
我 想 去 中 国 的 北方。

I want to go to the northern part of China.

Je voudrais voir la Chine du Nord.

Mary:
Ǒ， běifāng … Běijīng hé Xī'ān zěnme yàng?
哦，北方 ……北京和西安 怎么 样？

Oh, the north…how about Beijing and Xi'an?

Ah, le Nord...qu'est-ce que tu penses de Pékin et de Xi'an ?

Tony:

Yǒu yìsi ma?
有意思吗?

Are they interesting?

C'est intéressant ?

Mary:

Běijīng yǒu Tiān'ānmén, Chángchéng,
北京有天安门、长城、
Gùgōng, Yíhéyuán hé gǔlǎo de sìhéyuàn.
故宫、颐和园和古老的四合院。
Xī'ān shì Zhōngguó gǔdài de shǒudū, yǒu
西安是中国古代的首都,有
Qínshǐhuáng Bīngmǎyǒng.
秦始皇兵马俑。

Beijing has Tian'anmen Square, the Great Wall, the Forbidden City, the Summer Palace, and old Siheyuans. Xi'an is the capital of ancient China and has the Mausoleum of the First Emperor of Qin and his Terracotta Army.

A Pékin, on peut visiter la place Tian'anmen, la Grande Muraille, la Cité interdite, le Palais d'Eté et les siheyuan (maisons traditionnelles de Pekin) ; Xi'an était la capitale de la Chine antique, célèbre pour les Guerriers et chevaux en terre cuite du premier empereur Qin.

Tony:

Hǎo, wǒmen jiù qù Běijīng hé Xī'ān.
好,我们就去北京和西安。

OK. Let's go to Beijing and Xi'an.

Bon, alors on ira à Pékin et Xi'an.

[Words/Vocabulaire]

旅游	lǚyóu	tourism	voyage
城市	chéngshì	city	ville
杭州	Hángzhōu	Hangzhou	Hangzhou
苏州	Sūzhōu	Suzhou	Suzhou
不错	bú cuò	not bad	pas mal
西湖	Xīhú	West Lake	le lac de l'Ouest
古代	gǔdài	ancient	l'époque ancienne
园林	yuánlín	garden	jardin
北方	běifāng	north	le Nord
北京	Běijīng	Beijing	Pékin
西安	Xī'ān	Xi'an	Xi'an
天安门	Tiān'ānmén	Tian'anmen	la place Tian'anmen
长城	Chángchéng	the Great Wall	la Grande Muraille
故宫	Gùgōng	the Forbidden City	la Cité interdite
颐和园	Yíhéyuán	the Summer Palace	le Palais d'Eté
古老	gǔlǎo	old	antique
四合院	sìhéyuàn	Siheyuan	siheyuan
首都	shǒudū	capital	capitale
秦始皇	Qínshǐhuáng	the First Emperor of Qin	le premier empereur Qin
兵马俑	Bīngmǎyǒng	Terracotta Army	Guerriers et chevaux en terre cuite

151

Jīntiān tiānqì zhēn hǎo.
38. 今天 天气 真 好。
The weather is really fine today.
Il fait beau aujourd'hui.

明天晚上可能会下雨。

今天天气真好。

[Sentences/Phrases]

Jīntiān tiānqì zhēn hǎo.
今天 天气 真 好。

The weather is really fine today.

Il fait beau aujourd'hui.

Míngtiān tiānqì zěnmeyàng?
明 天 天气 怎么 样 ?

What's the weather like tomorrow?

Que dit la météo de demain ?

[Conversation/Dialogue]

（1）
Bao:
Jīntiān tiānqì zhēn hǎo.
今 天 天气 真 好。

The weather is fine today.

Il fait beau aujourd'hui.

Shì ā. Míngtiān tiānqì zěnmeyàng?

Tony: 是啊。明天天气怎么样？

Yes. What is the weather like tomorrow?

Oui, que dit la météo de demain ?

Míngtiān tiānqì bù hǎo, shì yīntiān. Míngtiān

Bao: 明天天气不好，是阴天。明天
wǎnshang kěnéng huì xiàyǔ.
晚上可能会下雨。

It will not be fine tomorrow. It will be
cloudy, and it may rain in the evening.

Il fera mauvais et le temps sera couvert.
Il risque de pleuvoir demain soir.

Zāogāo, míngtiān wǒ xiǎng qù Hángzhōu

Tony: 糟糕，明天我想去杭州
wánr ne !
玩儿呢！

Oh, that is terrible. I want to go to
Hangzhou tomorrow.

Dommage, je voulais aller à Hangzhou.

Méi guānxi, jìde dàihǎo sǎn. Xiàyǔ de

Bao: 没关系，记得带好伞。下雨的
Xīhú gèng piàoliang.
西湖更漂亮。

It doesn't matter. Don't forget to take
your umbrella. The West Lake is more
beautiful when it rains.

Ce n'est pas grave. Rappelle-toi de
prendre un parapluie. Le lac de l'Ouest
est plus beau sous la pluie.

（2）

Tony:
Jīntiān zhēn rè ā.
今天 真 热啊。

It's very hot today.

Il fait chaud aujourd'hui.

Hai:
Shì ā, jīntiān zuì gāo qìwēn sānshíwǔ dù.
是啊，今天 最高 气温 3 5 度。

Yes. Today's highest temperature is 35 degrees Celsius.

Oui, le thermomètre est monté jusqu'à 35 degrés.

Tony:
Míngtiān rè ma?
明天 热吗？

Will it be hot tomorrow?

Est-ce qu'il fera chaud demain ?

Hai:
Míngtiān kěnéng liángkuài yìdiǎnr. Tiānqì
明天 可能 凉快 一点儿。天气
yùbào shuō, míngtiān shì èrshísì dù dào
预报 说，明天 是 2 4 度 到
sānshíyī dù.
3 1 度。

It may be a bit cooler tomorrow. The weather report says that it will be 24℃ to 31℃ tomorrow.

Il pourrait faire un peu frais. Selon la météo, la température sera entre 24 et 31 degrés.

[Words/Vocabulaire]

天气	tiānqì	weather	temps
阴天	yīntiān	cloudy	temps couvert
可能	kěnéng	may	peut-être
下雨	xiàyù	to rain	pleuvoir
糟糕	zāogāo	terrible	dommage
记得	jìde	to remember	se rappeler de faire
带	dài	to take	porter, emmener
伞	sǎn	umbrella	parapluie
更	gèng	more	plus + adj/adv
最	zuì	most	le/la/les plus + adj/adv
高	gāo	high	élevé,e
气温	qìwēn	temperature	température
度	dù	degree	degré
凉快	liángkuài	cool	frais,fraîche
预报	yùbào	forecast	les prévisions météorologiques

Weather Expression/Exprimer le temps qu'il fait:

晴	qíng	fine	beau
阴	yīn	overcast	gris
雾	wù	foggy	brouillard
大风	dà fēng	strong wind	vent violent
小雨	xiǎo yǔ	light rain	bruine
阵雨	zhènyǔ	shower	une averse
雷	léi	thunder	le tonnerre
小雪	xiǎo xuě	light snow	une petite neige
中雪	zhōng xuě	average snow	une neige assez forte
大雪	dà xuě	heavy snow	une forte neige
冰雹	bīngbáo	hail	grêle
霜冻	shuāngdòng	frost	verglas

Chūntiān hěn nuǎnhuo, qiūtiān hěn liángkuài.

39. 春天 很 暖和，秋天 很 凉快。

It is very warm in spring and cool in fall.

Il fait doux au printemps et frais en automne.

上海的气候怎么样？

[Sentences/Phrases]

Shànghǎi de qìhòu zěnmeyàng?
上 海 的 气候 怎么 样？

What is the climate like in Shanghai?

Comment est le climat de Shanghaï ?

Chūntiān hěn nuǎnhuo, qiūtiān hěn liángkuài.
春 天 很 暖 和，秋 天 很 凉 快。

It is very warm in spring and cool in fall.

Il fait doux au printemps et frais en automne.

[Conversation/Dialogue]

（1）

Tony：
Shànghǎi de qìhòu zěnmeyàng?
上海 的 气候 怎么样？

What is the climate like in Shanghai?

Comment est le climat de Shanghaï ?

Bao：
Bú cuò, chūntiān hěn nuǎnhuo, qiūtiān hěn
不错，春天 很 暖和，秋天 很
liángkuài.
凉快。

Not bad. It is very warm in spring and cool in fall.

Pas mal, il fait doux au printemps et frais en automne.

Tony：
Xiàtiān rè ma?
夏天 热吗？

Is it hot in summer?

Il fait chaud en été ?

Bao：
Xiàtiān bǐjiào rè, jīngcháng xià léizhènyǔ.
夏天 比较热，经常 下 雷阵雨。

It's hot in summer, and there are often thunderstorms.

Oui, en plus, il y a souvent de l'orage en été.

Tony：
Dōngtiān xià xuě ma?
冬天 下雪吗？

Does it snow in winter?

Il neige en hiver ?

Bao: Hěn shǎo xià xuě.
很 少 下雪。

Seldom.

La neige est rare à Shanghaï.

(2)

Mary: Wǒ xiǎng qù Běijīng wánr, shénme shíhou qù bǐjiào hǎo?
我 想 去北京 玩儿， 什么 时候 去
比较 好？

I'd like to go to Beijing. What is the best time to go there?

Je voudrais faire un voyage à Pékin. Quelle est la meilleure saison pour s'y render ?

Hai: Shí yuè qù ba.
十 月 去 吧。

You'd better go there in October.

Il vaut mieux y aller en octobre.

Mary: Wèi shénme?
为 什么？

Why?

Pourquoi ?

Hai: Nà shí Běijīng de tiānqì zuì hǎo, bù lěng yě bú rè.
那时 北京 的 天气 最好， 不冷 也不
热。

The weather in Beijing at that time is the best, neither very cold nor very hot.

En cette saison, le temps à Pékin est le meilleur. Il ne fait ni chaud ni froid.

Mary: Shì ma?
是 吗?
Really?
C'est vrai ?

Hai: Shì ā, Běijīng de qiūtiān zuì piàoliang.
是 啊，北 京 的 秋 天 最 漂 亮。
Yes. Fall is the best season in Beijing.
Oui, l'automne est la plus belle saison à
Pékin.

[Words/Vocabulaire]

气候	qìhòu	climate	climat
春天	chūntiān	spring	le printemps
暖和	nuǎnhuo	warm	doux,ce
秋天	qiūtiān	fall	l'automne
夏天	xiàtiān	summer	l'été
比较	bǐjiào	comparatively	relativement
经常	jīngcháng	usually	souvent
雷雨	léizhènyǔ	thunderstorm	orage
冬天	dōngtiān	winter	l'hiver
雪	xuě	thunder	neige
少	shǎo	seldom	rare
为什么	wèi shénme	why	pourquoi
那时	nà shí	that time	à cette époque; en cette saison
最好	zuì hǎo	best; had better	il est préférable
冷	lěng	cold	froid,e

Nǐ nǎr bù shūfu?
40. 你 哪儿 不 舒服?
Where do you feel uncomfortable?
Où as-tu mal ?

我有点儿不舒服，
想去医院。

[Sentences/Phrases]

Wǒ yǒu diǎnr bù shūfu, xiǎng qù yīyuàn.
我 有点儿 不 舒服， 想 去 医院。

I don't feel good. I want to go to the hospital.

Je ne me sens pas très bien, j'ai besoin d'aller à l'hôpital.

Nǐ nǎr bù shūfu?
你哪儿不 舒服?

Where do you feel uncomfortable?

Où as-tu mal ?

[Conversation/Dialogue]

(1)

Tony:
Wǒ yǒu diǎnr bù shūfu, xiǎng qù yīyuàn.
我 有点儿不 舒服， 想 去 医院。

I'm not feeling very well. I want to go to the hospital.

Je ne me sens pas très bien, j'ai besoin d'aller à l'hôpital.

Bao:
Zěnme le?
怎么了?

What's the matter?

Où as-tu mal?

Tony:
Tóuténg, sǎngzi téng.
头疼，嗓子 疼。

I've got a headache and a sore throat.

J'ai mal à la tête et à la gorge.

Bao:
Wǒ péi nǐ qù kàn yīshēng ba.
我 陪你去 看 医生 吧。

Let me accompany you to the hospital.

Je t'accompagne chez le médecin, d'accord?

(2)

Doctor:
Nǐ nǎr bù shūfu?
你哪儿不 舒服?

Where do you feel uncomfortable?

Docteur: Où avez-vous mal?

Tony:
Wǒ tóuténg, sǎngzi téng.
我 头疼，嗓子 疼。

I've got a headache and a sore throat.

J'ai mal à la tête et à la gorge.

Xiān liáng yíxià tǐwēn.
Doctor: 先 量 一下 体温。

Let me take your temperature first.

Docteur: Je prends d'abord votre température.

Hǎode.
Tony: 好的。

OK.

D'accord.

Méiyǒu fāshāo, yǒu diǎnr gǎnmào. Wǒ gěi nǐ
Doctor: 没有 发烧，有点儿 感冒。我 给你
kāi diǎnr yào ba.
开点儿 药 吧。

You do not have a fever. You've caught a cold. I will prescribe some medicine for you.

Docteur: Vous n'avez pas de fièvre. Vous êtes un peu enrhumé. Je vais vous faire une ordonnance.

Xièxie!
Tony: 谢谢!

Thank you!

Merci.

[Words/Vocabulaire]

医院	yīyuàn	hospital	hôpital
舒服	shūfu	comfortable	bien
头疼	tóuténg	headache	avoir mal à la tête
嗓子	sǎngzi	throat	gorge

疼	téng	sore	mal
陪	péi	accompany	accompagner
医生	yīshēng	doctor	médecin
量	liáng	to take	prendre
体温	tǐwēn	body temperature	température
发烧	fāshāo	have a fever	avoir de la fièvre
感冒	gǎnmào	catch a cold	prendre froid
开药	kāi yào	prescribe some medicine	faire une ordonnance, prescrire des médicaments

Body's parts/Les parties du corps:

眼睛	yǎnjīng	eye / œil	耳朵	ěrduo	ear / oreille
鼻子	bízi	nose / nez	嘴	zuǐ	mouth / bouche
牙齿	yáchǐ	tooth / dent	头	tóu	head / tête
手	shǒu	hand / main	脚	jiǎo	foot / pied
胳膊	gēbo	arm / bras	腿	tuǐ	leg / jambe
肚子	dùzi	belly / ventre	胃	wèi	stomach / estomac

Yīshēng，zhè yào zěnme chī?

41. 医生，这 药 怎么 吃?

Doctor, how should I take this medicine?

Docteur, comment dois-je prendre ces médicaments ?

[Sentences/Phrases]

Yīshēng，zhè yào zěnme chī?
医生，这 药 怎么 吃?

Doctor, how should I take this medicine?

Docteur, comment dois-je prendre ces médicaments ?

Yì tiān sān cì，yí cì liǎng piàn.
一天 三次，一次 两 片。

Three times a day, two pills each time.

Trois fois par jour, deux comprimés par prise.

[Conversation/Dialogue]

（1）

Tony:
Yīshēng, zhè yào zěnme chī?
医生，这药怎么吃？

Doctor, how should I take this medicine?

Docteur, comment prendre ces médicaments ?

Doctor:
Yì tiān sān cì, yí cì liǎng piàn.
一天三次，一次两片。

Three times a day, two pills each time.

Docteur: Trois fois par jour, deux comprimés par prise.

Tony:
Shì fànqián chī háishì fànhòu chī?
是饭前吃还是饭后吃？

Shall I take it before or after meals?

Avant ou après le repas ?

Doctor:
Fànqián chī. Duō hē shuǐ, duō xiūxi, guò jǐ
饭前吃。多喝水，多休息，过几
tiān jiù hǎo le.
天就好了。

Before meals. Drink a lot of water, have a good rest and you will be fine in a few days.

Docteur: Avant le repas. Buvez de l'eau, prenez du repos, et dans quelques jours, vous irez mieux.

Tony:
Hǎo de, xièxie.
好的，谢谢。

OK, thank you.

D'accord, merci.

(2)

Bao:

Nǐ hǎo xiē le ma?

你 好 些 了 吗？

Do you feel better now?

Tu vas mieux ?

Tony:

Wǒ hǎoduō le， bié dānxīn． Wǒ chángcháng

我 好 多 了，别 担心。我 常 常

yùndòng， suǒyǐ shēntǐ hěn hǎo．

运 动 ，所以 身体 很 好 。

I feel much better. Don't worry. I exercise

often, so I am very healthy.

Je vais beaucoup mieux qu'avant, ne

t'inquiète pas pour moi. Je fais souvent

du sport et je suis toujours en bonne

santé.

Bao:

Zhè liǎng tiān nǐ yào duō xiūxi．

这 两 天 你 要 多 休息。

You'd better rest more for the next couple

of days.

Il vaut mieux te reposer ces jours-ci.

Tony:

Zhīdào le， xièxie guānxīn．

知 道 了，谢谢 关 心 。

I see. Thanks for your concern.

Je sais. Merci de te soucier de moi.

[Words/Vocabulaire]

次	cì	time	fois
片	piàn	pill	comprimé
饭	fàn	meal	repas
水	shuǐ	water	de l'eau
休息	xiūxi	rest	du repos
些	xiē	a little	un peu
别	bié	don't	ne pas
担心	dānxīn	to worry	s'inquiéter pour
常常	chángcháng	usually	souvent
运动	yùndòng	sport	sport
身体	shēngtǐ	body	corps
关心	guānxīn	care, concern	se soucier de

Wǒ xǐhuan yóuyǒng hé dǎ wǎngqiú .
42. 我 喜欢 游泳 和打 网球 。
I like swimming and playing tennis.

J'aime la natation et le tennis.

[Sentences/Phrases]

Nǐ xǐhuan shénme yùndòng?
你 喜欢 什么 运 动 ?

What sports do you like?

Quels sports aimes-tu ?

Wǒ xǐhuan yóuyǒng hé dǎ wǎngqiú.
我 喜欢 游泳 和打 网球 。

I like swimming and playing tennis.

J'aime la natation et le tennis.

[Conversation/Dialogue]

Mary: Lǐ Bǎo, nǐ xǐhuan shénme yùndòng?
李宝，你喜欢什么运动？
Li Bao, what sports do you like?
Li Bao, quels sports aimes-tu ?

Bao: Wǒ xǐhuan yóuyǒng hé dǎ wǎngqiú. Nǐ ne?
我喜欢游泳和打网球。你呢？
I like swimming and playing tennis. What about you?
J'aime la natation et le tennis, et toi ?

Mary: Wǒ yě xǐhuan dǎ wǎngqiú, hái xǐhuan zuò
我也喜欢打网球，还喜欢做
yújiā. Wǒ měi zhōu dōu qù jiànshēnfáng zuò
瑜伽。我每周都去健身房做
yújiā.
瑜伽。
I like playing tennis, too. I also like practicing yoga. I go to the gymnasium to do yoga every week.
J'aime aussi le tennis. Par ailleurs, je suis passionnée de yoga. Chaque semaine, je vais au gymnase en faire.

Bao: Zhège zhōumò wǒmen yìqǐ qù dǎ wǎngqiú ba.
这个周末我们一起去打网球吧。
Let's play tennis this weekend, OK?
On fait du tennis ensemble ce week-end, d'accord ?

Hǎo ā .

Mary: 好啊。

OK.

D'accord.

（2）

Lǐ Bǎo , nǐ huì dǎ tàijíquán ma?

Tony: 李宝，你会打太极拳吗？

Li Bao, can you do tai chi chuan?

Li Bao, tu sais faire du taiji ?

Huì , wǒ měi tiān dǎ tàijíquán .

Bao： 会，我每天打太极拳。

Of course. I do tai chi chuan every day.

Oui, je pratique le taiji tous les jours.

Nǐ kěyǐ jiāo wǒ ma? Tàijíquán shì Zhōngguó

Tony: 你可以教我吗？太极拳是 中 国
gōngfu , wǒ hěn xiǎng xué .
功夫，我很想学。

Could you teach me? Tai chi chuan is one

of the main activities of Chinese kung fu

and I really want to learn how to do it.

Tu peux m'apprendre ? Le taiji est une

branche du Kungfu chinois. Je souhaite

l'apprendre.

Dāngrán kěyǐ .

Bao： 当 然 可以。

No problem.

Pas de problème.

Tài hǎo le

Tony: 太 好了！

Great!

Super !

[Words/Vocabulaire]

游泳	yóuyǒng	swimming	natation
网球	wǎngqiú	tennis	tennis
做	zuò	to practice	pratiquer/faire
瑜伽	yújiá	yoga	yoga
每天	měi tiān	every day	tous les jours
健身房	jiànshēnfáng	gymnasium	gymnase
太极拳	tàijíquán	tai chi chuan	taichi
教	jiāo	to teach	apprendre
功夫	gōngfu	kung fu	Kungfu
学	xué	to learn	apprendre

Pīngpāngqiú shì Zhōngguó de 'guóqiú'.

43. 乒乓球 是 中国 的"国球"。

Table tennis is a Chinese national sport.

Le ping-pong est le sport national de la Chine.

乒乓球是中国的国球。

[Sentences/Phrases]

Zhōngguó zuì liúxíng de yùndòng shì shénme?
中国 最流行的 运动是什么？

What's the most popular sport in China?

Quel est le sport le plus populaire en Chine ?

Pīngpāngqiú shì Zhōngguó de 'guóqiú'.
乒乓球是中国的"国球"。

Table tennis is a Chinese national sport.

Le ping-pong est le sport national de la Chine.

[Conversation/Dialogue]

（1）

Zhāng Hǎi, Zhōngguó zuì liúxíng de yùndòng
Tony: 张海，中国 最流行的 运动

shì shénme?
是什么?

Zhang Hai, what's the most popular sport in China?

Zhang Hai, quel est le sport le plus populaire en Chine ?

Hai:
Pīngpāngqiú, tā shì Zhōngguó de 'guóqiú'.
乒乓球，它是中国的"国球"。

Table tennis. It is a Chinese national sport.

Le ping-pong, c'est le sport national de la Chine.

Tony:
Ò, suǒyǐ Zhōngguó zǒng shì pīngpāngqiú
哦，所以中国总是乒乓球
bǐsài de guànjūn.
比赛的冠军。

Oh. No wonder China always champions over table tennis contests.

Ah, c'est pour cela que les champions des épreuves internationales de ping-pong sont toujours des Chinois.

Hai:
Nǐ xǐhuan dǎ pīngpāngqiú ma?
你喜欢打乒乓球吗?

Do you like playing table tennis?

Tu aimes jouer au ping-pong ?

Tony:
Wǒ bú huì dǎ, búguò wǒ xǐhuan kàn. Wǒ zài
我不会打，不过我喜欢看。我在
diànshì shang kànle èr líng líng bā nián Běijīng
电视上看了2008年北京
Àoyùnhuì de pīngpāngqiú bǐsài.
奥运会的乒乓球比赛。

I don't know how to play it, but I like

watching others play. I watched the table tennis contests in the Beijing 2008 Olympic Games on TV.

Je ne sais pas jouer au ping-pong, mais j'aime regarder les épreuves de ping-pong. J'ai regardé à la télévision les épreuves de ping-pong des Jeux Olympiques de Pékin 2008.

(2)

Bao:
Mǎlì nǐ zhīdào Yáo Míng ma?
Mary，你 知 道 姚 明 吗?

Mary, do you know Yao Ming?

Mary, est-ce que tu connais Yao Ming ?

Mary:
Dāngrán zhīdào. Tā shì yǒumíng de Zhōngguó
当 然 知 道。他 是 有 名 的 中 国
lánqiú yùndòngyuán， tā yě zài Měiguó dǎ
篮 球 运 动 员，他 也 在 美 国 打
lánqiú.
篮 球。

Of course I know him. He is a famous Chinese basketball player who also plays basketball in the US.

Bien sûr que je le connais. C'est un basketteur chinois très célèbre. Il joue aussi au basket-ball aux Etats-Unis.

Bao:
Yáo Míng zài Zhōngguó hěn shòu huānyíng.
姚 明 在 中 国 很 受 欢 迎。
Měiguórén xǐhuan tā ma?
美 国 人 喜 欢 他 吗?

Yao Ming is very popular in China. Do Americans like him?

Yao Ming est très populaire en Chine.

Est-ce qu'il est populaire aux Etats-Unis ?

Mary:
Hěn duō Měiguórén yě hěn xǐhuan tā . Lánqiú
很多美国人也很喜欢他。篮球
zài Zhōngguó liúxíng ma?
在中国流行吗?

Many American people like him too. Is basketball popular in China?

Beaucoup d'Américains l'aiment aussi. Est-ce que le basket-ball est populaire en Chine ?

Bao:
Shì de . Zhōngguórén yě xǐhuan dǎ lánqiú .
是的。中国人也喜欢打篮球。

Yes. Chinese people also like playing basketball.

Oui, les Chinois aiment aussi jouer au basket-ball.

[Words/Vocabulaire]

流行	liúxíng	popular	populaire
乒乓球	pīngpāngqiú	ping-pong; table tennis	ping-pong/ tennis de table
总是	zǒng shì	always	toujours
比赛	bǐsài	contest	épreuve
冠军	guànjūn	champion	champion,ne
不过	búguò	but	mais
电视	diànshì	TV	télévision
奥运会	Àoyùnhuì	Olympic Games	les Jeux Olympiques
姚明	Yáo Míng	Yao Ming	Yao Ming
篮球	lánqiú	basketball	basket-ball
运动员	yùndòngyuán	athlete	sportif,ve
受	shòu	to receive	recevoir

44.
Chéngshì, ràng shēnghuó gèng měihǎo.
城市，让 生活 更 美好。
Better city, better life.
Meilleure ville, meilleure vie.

[Sentences/Phrases]

Èr líng yī líng nián Shànghǎi Shìbóhuì de zhǔtí shì shénme?
2 0 1 0 年 上 海 世博会 的 主题 是 什 么？
What's the theme of Expo 2010 Shanghai?
Quel est le thème de l'Exposition Universelle de
Shanghaï 2010 ?

Chéngshì, ràng shēnghuó gèng měihǎo.
城 市，让 生 活 更 美 好。
Better city, better life.
Meilleure ville, Meilleure vie.

[Conversation/Dialogue]

（1）

Mary：
Èr líng yī líng nián Shànghǎi Shìbóhuì de zhǔtí
2 0 1 0 年 上 海 世博会 的 主题
shì shénme?
是 什 么 ？

What's the theme of Expo 2010 Shanghai?

Quel est le thème de l'Exposition Universelle de Shanghaï 2010 ?

Bao：
'Chéngshì, ràng shēnghuó gèng měihǎo.'
"城 市 ， 让 生 活 更 美 好 。"

"Better city, better life."

" Meilleure ville, meilleure vie."

Mary：
Yǒu shénme jùtǐ nèiróng ne?
有 什 么 具体 内容 呢 ？

What will be the contents of the Expo?

Quel est le contenu concret ?

Hai：
Shìbóhuì jiāng tǎolùn chéngshì de
世博会 将 讨论 城 市 的
wénhuà, jīngjì, kējì hé shèqū wèntí, hái
文 化、经济、科技和社区 问题，还
yǒu chéngshì hé xiāngcūn de guānxi.
有 城 市 和 乡 村 的 关 系 。

The Expo will cover issues related to cities' cultures, economic prosperity, innovations of science and technology, communities, and interactions between urban and rural areas.

On abordera des sujets sur la culture,

l'économie, la technologie et la communauté urbaines. On discutera en même temps des relations entre les villes et les régions rurales.

Mary:
Ò nèiróng hěn fēngfù ā.
哦，内容很丰富啊。

Oh, those are interesting and comprehensive topics.

Ah, le contenu est très varié.

(2)

Tony:
Wǒ tīngshuō Shìbóhuì yǒu hěn duō huódòng, shì ma?
我 听 说 世博会 有 很 多 活 动，是 吗？

I've heard that there are lots of activities at the Expo. Is it true?

J'ai entendu dire qu'il y aura beaucoup d'activités à cette exposition universelle, c'est vrai ?

Bao:
Duì ā, yǒu zhǎnlǎn, lùntán, hái yǒu gè zhòng wényì biǎoyǎn, wénhuà tǐyàn děng.
对啊，有展览、论坛、还有各 种 文艺表演、文化体验 等。

Yes. There are exhibitions, forums, all kinds of art performances, cultural experiences and so on.

Oui, il y aura des expositions, des forums, toutes sortes de spectacles culturels, des expériences culturelles, etc.

Tony: Shìbóhuì yuánqū hěndà ba?
世博会 园区 很大 吧?

The Expo site is very big, isn't it?

Le site de l'exposition est grand, n'est-ce pas ?

Bao: Shì a, tā zài Shànghǎi de Huángpǔ Jiāng
是啊, 它在 上 海 的 黄 浦 江
liǎng'àn, miànjī yǒu wǔ diǎn èr bā píngfāng
两岸,面积 有 5 . 2 8 平 方
gōnglǐ.
公里。

Yes. It spans both sides of Shanghai's Huangpu River and covers an area of 5.28 square kilometers.

Oui, il s'étend sur les rives du Fleuve Huangpu de Shanghaï, sur une superficie de 5, 28 kilomètres carrés.

[Words/Vocabulaire]

主题	zhǔtí	theme	thème
生活	shēnghuó	life	vie
美好	měihǎo	nice, fine	bon,ne
具体	jùtǐ	concrete	concret,ète
内容	nèiróng	content	contenu
将	jiāng	will	aller (au présent) + verbe
讨论	tǎolùn	to discuss	discuter
文化	wénhuà	culture	culture
经济	jīngjì	economic	l'économie
社区	shèqū	community	communauté

问题	wèntí	problem	problème
乡村	xiāngcūn	village	la région rurale
关系	guānxi	relationship	relation
丰富	fēngfù	abundant, rich	riche/abondant,e
听说	tīngshuō	hear of	entendre dire que
活动	huódòng	activity	activité
论坛	lùntán	forum	forum
各种	gè zhǒng	all kinds of	toutes sortes de
文艺	wényì	literature and art	culturel,le
表演	biǎoyǎn	performance	spectacle
体验	tǐyàn	experience	expérience
黄浦江	Huāngpǔ Jiāng	Huangpu River	le Fleuve Huangpu
岸	àn	bank, coast	rive
面积	miànjī	area	superficie
平方公里	píngfāng gōnglǐ	square kilometer	kilomètre carré

Zhè jiù shì Zhōngguóguǎn.
45. 这 就 是 中国 馆。
This is the China Pavilion.

Voilà le Pavillon de Chine.

中国馆的设计叫"东方之冠"。

[Sentences/Phrases]

Zhè jiù shì Zhōngguóguǎn.
这 就 是 中 国 馆。

This is the China Pavilion.

Voilà le Pavillon de Chine.

Zhōngguóguǎn de shèjì jiào 'Dōngfāng zhī Guān'.
中 国 馆 的 设 计 叫 "东 方 之 冠"。

The China Pavilion was designed using the
concept of "Oriental Crown".

Le Pavillon de Chine est construit d'après la forme
d'une " Couronne orientale".

[Conversation/Dialogue]

(1)

Hai:
Mǎlì, zhè jiù shì Zhōngguóguǎn.
Mary, 这 就 是 中 国 馆。

Mary, this is the China Pavilion.

Mary, voilà le Pavillon de Chine.

Mary:
Ò, zhēn xióngwěi! Zhègè wàixíng hěnyǒu
哦, 真 雄 伟! 这个 外 形 很 有
yìsi.
意思。

Oh, it's very grand! The shape is very interesting.

Oh, c'est magnifique ! Sa forme est très intéressante.

Hai:
Zhōngguóguǎn de shèjì jiào 'Dōngfāng zhī
中 国 馆 的 设 计 叫 "东 方 之
Guān'.
冠"。

The China Pavilion was designed using the concept of "Oriental Crown".

Le Pavillon de Chine est construit d'après la forme d'une " Couronne orientale ".

Tony:
Shìbóhuì de zhǎnguǎn yídìng hěn duō ba?
世博会 的 展 馆 一 定 很 多 吧?

There are lots of pavilions at the Expo site, aren't there?

Il y a sûrement beaucoup de pavillons sur le site de l'exposition, n'est-ce pas ?

Bao:
Hěn duō. Yǒu guójiāguǎn, liánhéguǎn,
很 多 。 有 国 家 馆 , 联 合 馆 ,
qǐyèguǎn, hái yǒu wǔ gè zhǔtíguǎn.
企 业 馆 , 还 有 5 个 主 题 馆 。

Yes. There are national pavilions, united pavilions, enterprise pavilions and five theme pavilions.

Oui, il y en a beaucoup. Il y a les Pavillons nationaux, les Pavillons unis, les Pavillons d'entreprises et 5 Pavillons thématiques.

(2)

Tony:
Zhōngguó guójiāguǎn shì hóngsè de,
中 国 国 家 馆 是 红 色 的 ,
Zhōngguórén hěn xǐhuan hóngsè ma?
中 国 人 很 喜 欢 红 色 吗 ?

The color of the China Pavilion is red. Do Chinese people like red very much?

Le Pavillon de Chine est en rouge. Est-ce que les Chinois aiment beaucoup le rouge ?

Hai:
Shì ā. Zhōngguórén juéde hóngsè shì jíxiáng,
是 啊 。 中 国 人 觉 得 红 色 是 吉 祥 、
xǐqìng de yánsè.
喜 庆 的 颜 色 。

Yes. The Chinese believe that red is a color of luck and celebration.

Oui, pour les Chinois, le rouge est le symbole du bonheur et de la joie.

Mary:
Wǒ míngbai le, suǒyǐ Zhōngguójié yě shì
我 明 白 了 , 所 以 中 国 结 也 是
hóngsè de.
红 色 的 。

I see. No wonder the Chinese knot is also
red.

J'ai compris. C'est pourquoi le nœud
chinois est aussi en rouge.

[Words/Vocabulaire]

雄伟	xióngwěi	grand	magnifique
外形	wàixíng	figure	forme
设计	shèjì	design	conception
东方之冠	Dōngfāng zhī Guān	Oriental Crown	Couronne orientale
展馆	zhǎnguǎn	pavilion	pavillon
一定	yídìng	certainly	sûrement
国家	guójiā	state, nation, country	pays
联合	liánhé	unite	uni,e
企业	qǐyè	company, firm, enterprise	entreprise
吉祥	jíxiáng	lucky	le bonheur propice
喜庆	xǐqìng	happy	joie
明白	míngbai	to understand	comprendre
中国结	Zhōngguójié	Chinese knot	nœud chinois

Biǎoyǎn yòu duō yòu jīngcǎi.

46. 表演 又 多 又 精彩。

The performances are abundant and wonderful.

Les spectacles sont nombreux et magnifiques.

真好看!
表演又多又精彩。

[Sentences/Phrases]

Zhēn hǎokàn!
真 好看!

This is quite a show!

C'est super !

Shìbóhuì de biǎoyǎn yòu duō yòu jīngcǎi.
世博会的 表演 又 多 又 精彩。

The performances at the Expo are so abundant and wonderful.

Les spectacles de l'Exposition sont nombreux et magnifiques.

[Conversation/Dialogue]

(1)

Mary:
Lǐ Bǎo, nǐ kuài lái kàn, zhè shì shénme
李宝，你快来看，这是什么
biǎoyǎn?
表演？

Li Bao, come on. What's the performance?

Li Bao, regarde ! Quel est ce spectacle ?

Bao:
Ò, zhè shì Zhōngguó de mínzú wǔdǎo.
哦，这是中国的民族舞蹈。

Oh, it's a Chinese folk dance.

Ah, c'est une danse folklorique chinoise.

Mary:
Zhēn hǎokàn! Wǒ zài zhèr kànle hěn duō
真好看！我在这儿看了很多
jiémù.
节目。

This is quite a show! I have watched
many programs here.

C'est magnifique ! J'ai apprécié pas mal
de spectacles ici.

Bao:
Juéde zěnmeyàng?
觉得怎么样？

How do you feel about them?

Qu'en penses-tu ?

Mary:
Tài bàng le ! Shìbóhuì de biǎoyǎn yòu duō yòu
太棒了！世博会的表演又多又

jīngcǎi.
精彩。

Great! The performances at the Expo are abundant and wonderful.

C'est super ! Les spectacles de l'Exposition sont nombreux et magnifiques.

(2)

Mary:
Lǐ Bǎo, tāmen zài chàng shénme gē?
李宝，他们 在 唱 什么 歌?

Li Bao, what song are they singing?

Li Bao, qu'est-ce qu'ils chantent ?

Bao:
Tāmen zài chàng Mòlìhuā, yì shǒu hěn
他们 在 唱《茉莉花》，一首 很
yǒumíng de Zhōngguó míngē, hěn duō rén
有名 的 中国 民歌，很多 人
dōuhuì chàng.
都会 唱。

They are singing *Mo li hua* (jasmine flower), a very famous Chinese folk song. Many people can sing it.

《Molihua (jasmin)》, une chanson folklorique très célèbre en Chine. Beaucoup de gens la connaissent.

Mary:
Zhè shǒu gē zhēn hǎotīng! Wǒ yào qù mǎi yì
这 首 歌 真 好听！我 要 去 买 一
zhāng CD.
张 CD。

This song is so beautiful! I will buy a CD of it.

Cette chanson est mélodieuse. Je vais acheter son CD.

Bao:
Míngtiān wǒ péi nǐ qù mǎi ba.
明天我陪你去买吧。
I will go with you tomorrow to purchase it.
J'irai avec toi demain.

Mary:
Tài hǎo le.
太好了。
That's great.
Super!

[Words/Vocabulaire]

快	kuài	quickly, fast	vite
民族	mínzú	ethnic group; nationality	nation, ethnie
舞蹈	wǔdǎo	dance	danse
好看	hǎokàn	good	magnifique
节目	jiémù	program	spectacle
棒	bàng	good, excellent	super
精彩	jīngcǎi	wonderful	excellent,e
他们	tāmen	they	ils
唱	chàng	to sing	chanter
歌	gē	song	chanson
茉莉花	mòlìhuā	jasmine flower	jasmin
首	shǒu	*a measure word for songs*	*spécificatif des chansons*
民歌	míngē	folk song	chanson folklorique
好听	hǎotīng	melodious	mélodieux,se

Shànghǎi Shìbóhuì jíxiángwù jiào Hǎibǎo.

47. 上海 世博会 吉祥物 叫 "海宝"。

The mascot of Expo Shanghai is called Haibao.

La mascotte de l'Exposition Universelle de Shanghaï s'appelle Haibao.

它是世博会的吉祥物,叫"海宝"。

[Sentences/Phrases]

Shànghǎi Shìbóhuì jíxiángwù jiào 'Hǎibǎo'.
上 海 世博会 吉祥物 叫 "海宝"。

The mascot of Expo Shanghai is called Haibao.

La mascotte de l'Exposition Universelle de Shanghaï s'appelle Haibao.

Jìniànpǐn yòu fēngfù yòu piàoliang.
纪念品 又 丰 富 又 漂 亮 。

The souvenirs are plentiful as well as beautiful.

Les souvenirs sont abondants et merveilleux.

[Conversation/Dialogue]

(1)

Mary:

Nǐ hǎo, wǒ xiǎng mǎixiē Shìbóhuì de jìniànpǐn.
你好，我 想 买些世博会的纪念品。

Hello, I want to buy some souvenirs of the Expo.

Bonjour, je voudrais acheter quelques souvenirs de l'Exposition Universelle.

Salesman:

Nǐ xǐhuan zhège ma? Tā shì Shìbóhuì de jíxiángwù, jiào 'Hǎibǎo'.
你 喜欢 这个 吗？它 是 世博会的吉祥物，叫 "海宝"。

Do you like this? It is the mascot of the Expo, named Haibao.

Vendeur:

Est-ce que vous aimez ceci ? C'est la mascotte de l'Exposition Universelle de Shanghaï, qui s'appelle Haibao.

Mary:

Zhēn kě'ài. Wèi shénme jiào 'Hǎibǎo'?
真 可爱。为 什么 叫 "海宝"？

It's so cute. Why is it called Haibao?

C'est mignon ! Pourquoi il s'appelle Haibao ?

Salesman：
'Hǎibǎo' de yìsi shì ' sìhǎi zhī bǎo'.
"海宝"的意思是"四海之宝"。

Haibao means the treasure of the world.

Vendeur：
"Haibao" signifie " trésor du monde".

Mary：
Hǎo míngzì. Wǒ mǎi yí gè 'Hǎibǎo'.
好名字。我买一个"海宝"。

Good name! I will buy one.

Quel beau nom ! Je vais en acheter un.

（2）

Mary：
Lǐ Bǎo, wǒmen mǎile hěn duō Shìbóhuì de jìniànpǐn.
李宝，我们买了很多世博会的纪念品。

Li Bao, we have bought many souvenirs of the Expo.

Li Bao, nous avons acheté pas mal de souvenirs de l' Exposition Universelle.

Bao：
Wǒ kànkan, nǐmen mǎile shénme?
我看看，你们买了什么？

Let me have a look. What did you buy?

Je vais regarder ce que vous avez acheté.

Mary：
Wǒ mǎile 'Hǎibǎo' wánjù, Expo bēizi hé yí jiàn 'Hǎibǎo' T-xù.
我买了"海宝"玩具、Expo 杯子和一件"海宝"T恤。

I bought a Haibao toy, an Expo cup and a

Haibao T-shirt.

J'ai acheté un jouet "Haibao", une tasse "Expo" et un T-shirt "Haibao".

Tony:
Wǒ yě mǎile yí jiàn T-xù , hái mǎile yí tào
我 也 买 了 一 件 T 恤，还 买 了 一 套
'Hǎibǎo' cháhú .
"海 宝" 茶壶。

I bought a T-shirt too, and also a set of Haibao teapots.

Moi aussi, j'ai acheté un T-shirt et une série de théières "Haibao".

Mary:
Shìbóhuì de jìniànpǐn yòu fēngfù yòu piàoliang,
世博会 的 纪念品 又 丰富 又 漂 亮，
Lǐ Bǎo , nǐ yě qù mǎixiē ba .
李宝，你 也 去 买 些 吧。

The Expo souvenirs are plentiful as well as beautiful. Li Bao, you'd better buy some.

Les souvenirs de l'Exposition Universelle sont abondants et merveilleux. Li Bao, tu dois aussi aller en acheter quelques-uns.

[Words/Vocabulaire]

纪念品	jìniànpǐn	souvenir	souvenir
四海	sìhǎi	four seas which means the whole world	monde
玩具	wánjù	toy	jouet
杯子	bēizi	cup	tasse, verre
套	tào	set	une série de
茶壶	cháhú	teapot	théière

Haibao

Haibao, the mascot of Expo 2010 Shanghai is a cartoon character created from the Chinese character "人", which means people. The mascot embodies the character of Chinese culture and represents the design concept of the emblem of Expo Shanghai.

The structure of the character "人", in which two strokes support each other, manifests the concept that a good life should be created by people working together. The world should be supported by "people," and people should have harmonious relationships with nature and society, so that city life will improve for all.

Haibao

Haibao, mascotte de l'Exposition Universelle de Shanghaï 2010, est un personnage de dessins animés. L'idée vient du caractère chinois " 人 ", qui signifie l'être humain. Avec la conception de l'emblème de l'Exposition Universelle de Shanghaï, cette mascotte interprète bien les caractéristiques de la culture et de l'esprit chinois.

La structure du caractère chinois " 人 " (Deux traits se serrent l'un contre l'autre.) nous montre que la vie harmonieuse est créée avec les efforts de tout le monde. Il faut que notre planète soit soutenue par les êtres humains. Et les êtres humains doivent vivre en parfaite harmonie avec la nature et la société pour que la vie urbaine s'améliore.

Shànghǎi liúgěi wǒmen yí gè měihǎo de yìnxiàng.

48. 上海 留给 我们一个 美好 的 印象。

Shanghai leaves a very good impression on us.

Shanghaï nous a laissé une bonne impression.

[Sentences/Phrases]

Nǐmen juéde Shànghǎi Shìbóhuì zěnmeyàng?
你们觉得 上 海 世博会 怎么样?

What do you think about Expo Shanghai?

Comment trouvez-vous l'Exposition Universelle de Shanghaï ?

Shànghǎi liúgěi wǒmen yí gè měihǎo de yìnxiàng.
上 海 留给我们 一个 美好 的 印象。

Shanghai leaves a very good impression on us.

Shanghaï nous a laissé une bonne impression.

（1）

Bao:
Nǐmen juéde Shànghǎi Shìbóhuì zěnyāoyàng?
你们 觉得 上 海 世博会 怎么 样?

What do you think about Expo Shanghai?

Comment trouvez-vous l'Exposition Universelle de Shanghaï ?

Tony:
Fēicháng hǎo, zhǎnguǎn piàoliang, biǎoyǎn
非常 好, 展馆 漂亮, 表演
jīngcǎi. Fúwù yě hěn zhōudào. Wǒmen zài
精彩。服务 也 很 周到。我们 在
zhèr hěn yúkuài.
这儿 很 愉快。

It is very good. The pavilions are beautiful, the performances are wonderful and the service is thoughtful and excellent. We are having a pleasant time here.

Très bien ! Les pavillons sont beaux, les spectacles sont magnifiques, le service est excellent. On se plaît ici.

Mary:
Shì ā, Shànghǎi liúgěi wǒmen yí gè měihǎo
是 啊, 上 海 留给 我们 一个 美好
de yìnxiàng. Chéngshì hěn piàoliang, rénmen
的 印象。城市 很 漂亮, 人们
hěn rèqíng.
很 热情。

Exactly. Shanghai leaves a very good impression on us as being a pretty city and having enthusiastic people.

C'est vrai, Shanghaï nous a laissé une

bonne impression. C'est une belle ville, et les gens sont sympathiques.

（2）

Tony:
Nǐ kàn, dàochù dōushì Shànghǎi Shìbóhuì de
你看，到处都是上海世博会的
huìhuī.
会徽。

Look, the emblem of Expo Shanghai is everywhere.

Regarde, il y a partout l'emblème de l'Exposition Universelle de Shanghaï.

Mary:
Shì ā. Zhège tú'àn shì shénme yìsi?
是啊。这个图案是什么意思？

Yes. What does the emblem symbolize?

Oui, qu'est-ce que ça signifie cette image ?

Tony:
Wǒ tīngshuō, tā xiàng yí gè Zhōngguó hànzì
我听说，它像一个中国汉字
'shì' zì, yòu xiàng sān gè rén shǒu lā shǒu,
"世"字，又像三个人手拉手，
yìsi shì dàjiā jù zài yìqǐ.
意思是大家聚在一起。

I heard that it is like the Chinese character "世 (the world)", which means the world and it also looks like three people holding hands, which represents everyone uniting.

J'ai entendu dire que cet emblème ressemble au caractère chinois " 世 (le monde)", qui évoque trois personnes qui se tiennent par la main. Cela signifie qu'on est ensemble.

Ò, yǒu yìsi .
Mary: 哦，有意思。

Oh. That is interesting.

Ah, c'est intéressant !

[Words/Vocabulaire]

服务	fúwù	service	service
周到	zhōudào	thoughtful, considerate	excellent,e
留	liú	to leave	laisser
印象	yìnxiàng	impression	impression
人们	rénmen	people	les gens
热情	rèqíng	enthusiastic	sympathique
到处	dàochù	everywhere	partout
会徽	huìhuī	emblem	emblème
图案	tú'àn	pattern	image
像	xiàng	like	ressembler à
汉字	hànzì	character	caractère chinois
字	zì	letter, word	mot
手	shǒu	hand	main
拉	lā	to pull, to hold	tenir par la main
聚	jù	to assemble, to gather	se rassembler

49.
Wǒ xiǎng dìng yì zhāng jīpiào.
我 想 订 一 张 机票。

I want to book an air ticket.

Je voudrais réserver un billet d'avion.

[Sentences/Phrases]

Wǒ xiǎng dìng yì zhāng cóng Shànghǎi dào Bālí de jīpiào.
我 想 订 一 张 从 上 海 到 巴黎的 机票。

I want to book an air ticket from Shanghai to Paris.

Je voudrais réserver un billet d'avion de Shanghaï pour Paris.

Nín dǎsuan shénme shíhou chūfā?
您 打 算 什 么 时 候 出 发？

When do you plan to set off ?

Quand comptez-vous partir ?

[Conversation/Dialogue]

（1）

Tony:

Nǐ hǎo, wǒ xiǎng dìng yì zhāng cóng
你 好，我 想 订 一 张 从

Shànghǎi dào bālí de jīpiào.
上海到巴黎的机票。

Hello, I'd like to book an air ticket
from Shanghai to Paris.

Bonjour, je voudrais réserver un billet
d'avion de Shanghaï pour Paris.

Travel agency:
Nín dǎsuan shénme shíhou chūfā?
您打算什么时候出发?

When do you plan to set off？

Agence de
voyage:
Quand comptez-vous partir ?

Tony:
Shíyī yuè wǔ rì.
11 月 5 日。

November 5th.

Le 5 novembre.

Travel agency:
Nín yào tóuděngcāng háishì
您要头等舱还是
jīngjìcāng
经济舱?

Do you want first class or economy
class?

Agence de
voyage:
Vous voulez réserver la place
en première classe ou en classe
économique ?

Tony:
Jīngjìcāng.
经济舱。

Economy class.

En classe économique.

(2)
Mary:
Nǐ hǎo, wǒ xiǎng mǎi yì zhāng shíyī yuè
你好，我想买一张 11 月

sān rì qù Hángzhōu de huǒchēpiào.
3 日去杭州的火车票。

Hello, I want to buy a train ticket to Hangzhou on November 3rd.

Bonjour, je voudrais acheter un billet de train pour Hangzhou pour le 3 novembre.

Travel agency:

Nín yào jǐ diǎn de?
您要几点的?

What time do you want to take the train?

Agence de voyage:

Vous partirez à quelle heure ?

Mary:

Shíyī diǎn zuǒyòu de yǒuma?
11 点左右的有吗?

About 11 o'clock.

Est-ce qu'il y a un train aux environs de 11h ?

Travel agency:

Yǒu shí diǎn sìshíwǔ fēn de hé shíyī diǎn
有 10 点 45 分的和 11 点
shíwǔ fēnde. Nín yào nǎ yí tàng?
15 分的。您要哪一趟?

We have trains departing at 10:45 and 11:15. Which one would you prefer?

Agence de voyage:

Il y en a deux, l'un part à10h45, l'autre part à 11h15. Vous voulez lequel ?

Mary:

Wǒ yào shíyī diǎn shíwǔ fēnde. Dàgài
我要 11 点 15 分的。大概
duō jiǔ néng dào Hángzhōu?
多久能到杭州?

I want the one departing at 11:15. How long does it take to reach Hangzhou?

Celui de 11h15. Il faut combien de temps environ pour arriver à Hangzhou ?

Travel agency：
Yí gè bàn xiǎoshí.
一个半小时。

One and a half hours.

Agence de voyage:
Une heure et demie.

Mary：
Ò， xièxie !
哦，谢谢!

OK. Thanks!

D'accord, merci !

[Words/Vocabulaire]

订	dìng	to book	réserver
巴黎	Bālí	Paris	Paris
头等舱	tóuděngcāng	first class	première classe
经济舱	jīngjìcāng	economy class	classe économique
火车	huǒchē	train	train
售票员	shòupiàoyuán	conductor	receveur,se
趟	tàng	one round trip	un aller
大概	dàgài	about	environ
久	jiǔ	for a long time; of a specified duration	longtemps
能	néng	can	pouvoir

Yílù-píng'ān !

50. 一路平安!

Have a smooth journey!

Bon retour !

 [Sentences/Phrases]

Huānyíng nǐmen zài lái Shànghǎi!
欢 迎 你们 再来 上 海 !

You are very welcome to come to Shanghai again!

Vous serez toujours les bienvenus à Shanghaï.

Zhù nǐmen yílù-píng'ān !
祝 你们 一路平安 !

I wish you a pleasant journey!

Je vous souhaite un bon retour.

（1）

Mary：
Wǒmen yào huí guó le . Zhèxiē tiān wǒmen
我们要回国了。这些天我们
zài Shànghǎi hěn yúkuài! Xièxie nǐmen de
在 上 海 很 愉快！谢谢你们的
bāngzhù .
帮 助 。

We are going home. We were very happy
to spend these days in Shanghai. Thanks
for your help.

Nous allons rentrer. Nous avons passé un
bon séjour à Shanghaï. Merci de votre
aide.

Bao：
Bú kèqi .
不客气。

You are welcome.

Avec plaisir.

Tony：
Zhè shì wǒmen dì-yī cì lái Shànghǎi， wǒmen
这是我们第一次来上海，我们
hěn xǐhuan zhèlǐ .
很 喜欢这里。

This is the first time we have come to
Shanghai. We like it here.

C'est la première fois que nous sommes
venus à Shanghaï. Nous aimons beaucoup
cette ville.

Bao：
Huānyíng nǐmen zài lái !
欢 迎 你们再来！

You are very welcome to come to Shanghai again!

Revenez un jour, vous serez toujours les bienvenus.

Mary:
Wǒmen yídìng huì zài lái. Wǒmen dōu hěn xǐhuan Zhōngguó.
我们 一定 会 再来。我们 都 很 喜欢 中 国 。

We'll definitely come again. We all like China very much.

Entendu, nous aimons tous la Chine.

Hai:
Zhù nǐmen yílù-píng'ān!
祝 你们 一路平安!

Have a pleasant journey!

Je vous souhaite un bon retour.

（2）

Tony:
Shìbóhuì jiéshù le. Wǒmen zhēn shěbude líkāi.
世博会 结束了。我们 真 舍不得 离开。

The Expo is over. We are reluctant to leave.

L'Exposition Universelle est terminée, nous sommes obligés de vous dire au revoir.

Hai:
Wǒ tīngshuō nǐmen yàoqù Zhōngguó biéde dìfang kànkan.
我 听说 你们 要去 中 国 别的 地方 看看。

I heard that you will go to visit some other places in China.

J'ai entendu dire que vous envisagez d'aller visiter d'autres endroits en Chine.

Mary: Duì, wǒmen xiānqù Běijǐng hé Xī'ān lǚyóu,
对，我们 先去 北京和西安旅游，
ránhòu huí guó.
然后 回 国。
That's right. We will first go to Beijing and Xi'an and then go home.
Oui, avant de partir, nous allons faire un voyage à Pékin et Xi'an.

Bao: Shénme shíhou zǒu?
什么 时候 走？
When will you leave?
Quand partirez-vous ?

Tony: Hòutiān wǎnshang qī diǎn de huǒchē qù Běijǐng.
后天 晚 上七点的火车去北京。
We will take the train departing at 7:00 pm the day after tomorrow to Beijing.
Nous prendrons le train pour Pékin après-demain, à 7h du soir.

Bao: Wǒ wǔ diǎn lái bīnguǎn jiē nǐmen, kāichē sòng
我 五 点来 宾馆 接 你们，开车 送
nǐmen qù huǒchēzhàn.
你们 去 火 车 站。
I will pick you up at 5:00 pm at the hotel, and ride with you to the railway station.
Je viendrai vous chercher à l'hôtel à 5h, puis je vous accompagnerai à la gare en voiture.

Tài xièxie le !
Mary： 太 谢谢 了！

Thank you so much!

Merci beaucoup !

[Words/Vocabulaire]

回国	huí guó	return to one's home country	rentrer
一路平安	yílù-píng'ān	Have a pleasant trip.	bon retour
舍不得	shěbude	be reluctant to	regretter de f qch
离开	líkāi	to depart; get away	partir, quitter
后天	hòutiān	the day after tomorrow	après-demain
接	jiē	pick up	chercher
开车	kāichē	to drive	conduire (une voiture)
送	sòng	see off	accompagner
火车站	huǒchēzhàn	railway station	gare

责任编辑：张乐
封面设计：赵迪
插　　图：何晓雯　钱蕾　朱文侃
印刷监制：佟汉冬

图书在版编目（CIP）数据

汉语会话100句 / 张建民主编 . —北京：华语教学
出版社，2010
　ISBN 978-7-5138-0010-5

　Ⅰ.①汉… Ⅱ.①张… Ⅲ.①汉语－口语－对外汉语
教学－自学参考资料 Ⅳ.① H195.4

中国版本图书馆 CIP 数据核字 (2010) 第 183527 号

汉语会话 100 句

张建民　主编

朱勘宇　副主编

朱勘宇　王海萍　徐金倩　刘婷　韩冰　编写
杨婷婷　李梦祺　法语翻译

*

© 华语教学出版社
华语教学出版社出版
（中国北京百万庄大街 24 号　邮政编码 100037）
电话：(86)10-68320585
传真：(86)10-68326333
网址：www.sinolingua.com.cn
电子信箱：hyjx@sinolingua.com.cn
北京密兴印刷有限公司
2011 年（32 开）第一版
2011 年第一次印刷
（汉英法）
ISBN 978-7-5138-0010-5
定价：29.00 元